James Worthy

JAMES WORTHY

OOOH JAMES DEAR

AMES WORTHY

Because i'm Worthy

THE KING OF PAPER

HE'S EXTRAORDINARY JAMES WORTHY

TN

LEBO WSKI ACHIEVERS

MY GOD... CAN'T BELIEVE IT JAMES WO

OBA MERCATORPLEIN
Mercatorplein 89
Amsterdam
mercatorplein@oba.nl
www.oba.nl

Eerste druk, april 2011
Tweede druk, mei 2011
Derde druk, mei 2011

© James Worthy, 2011
© Lebowski Achievers, Amsterdam 2011
Omslagontwerp: Dog and Pony, Amsterdam
Typografie: Perfect Service, Schoonhoven
Foto auteur: Ilja Meefout

ISBN 978 90 488 0868 7
NUR 301

www.jamesworthy.nl
www.achievers.nl
www.lebowskipublishers.nl
www.top-notch.nl

Lebowski Achievers is een imprint van Dutch Media Uitgevers bv

FSC
www.fsc.org
MIX
Papier van
verantwoorde
herkomst
FSC® C019440

lebowski
Dit boek is ook leverbaar als e-book:
978 90 488 0869 4

Voor papa, mama en het alfabet.
Zonder jullie had ik dit nooit gekund.

'There are but two things worth living for: to do what is worthy of being written; and to write what is worthy of being read.'
Ross Perot

'This boy is cracking up. This boy has broke down.'
Phil Lynott

Proloog

Het dak van mijn basisschool ziet er anders uit dan in 1992, toen ik er, in de stromende regen, mijn eerste tongzoen kreeg. Ylva was haar naam. Dat is Scandinavisch voor 'wolf' en helaas voor mij zoende ze inderdaad als de aartsrivaal van Roodkapje. Ik was haar prooi en ze likte mijn lippen alsof het de stomende darmen van een stuiptrekkend edelhert waren. Ylva, hoe zou het met haar gaan? Waarschijnlijk is ze nu mondhygiëniste, moeder van haar roedel, Ot, Toos en Merel, en getrouwd met Bruno, de beste leesmappenbezorger van Badhoevedorp en tevens de trotse voorzitter van de Nederlandse Simply Red-fanclub. Een treurwilg van een man, ik zie hem al rijden in zijn auberginekleurige Subaru met de trotse snor van een Duitse acrobaat, joviaal meezingend met de *Greatest Hits* van Don Johnson.

Op het schoolplein spelen kinderen, vanaf het dak gezien zijn het net mieren. Een jongetje met een groene pet ziet mij staan en zwaait zowat zijn arm uit de kom. 'Bent u een stuntman?' schreeuwt hij. Daarom hou ik zo van kinderen, in hun wereld bestaat zelfmoord nog niet. Als ik straks die laatste stap zet, dan ben ik voor dat ventje geen slappeling, maar gewoon een belabberde stuntman. Het is ook echt niet zo dat ik die kinderen wil choqueren of traumatiseren, maar ik droom simpelweg al een paar maanden van de krantenkop 'MAN SPRINGT VAN LAGERE SCHOOL'. Ik wil dood. Leven in een wereld waarin ik het meisje niet krijg, nee, dan hoeft het voor mij niet meer. Polly, ik mis je. Mijn Polly.

*

Na een drukke dag stapte ik in de tram. Eigenlijk wilde ik voor in de tram stappen, maar daar zag ik een bekend gezicht en soms heb ik gewoon geen zin om te praten. Dus liep ik naar de achterste deur, stapte in, zag een mooi meisje zitten en besloot schuin achter haar te gaan zitten. Veel mannen gaan schuin voor een vrouw zitten, zodat ze moeten omkijken om haar te zien. Zo ziet de vrouw dat ze interesse hebben. Ik pak het anders aan: ik ga lekker zitten en als ze omkijkt dan weet ik dat het goed zit. Het meisje bleef kijken, zelfs toen er een dikke Spaanse toerist naast haar ging zitten. Door het dunne zwarte haar op zijn schedel voelde ik haar ogen branden en man o man wat voor ogen. Ik kon alleen niet zo goed zien of ze nou blauw of groen waren – ik heb trouwens nooit echt het verschil tussen blauw en groen kunnen ontdekken. In de jaren tachtig had je nog niet van die hdtv's. Wij hadden een joekel van een Blaupunkt en het beeld was knudde. Onze Smurfen waren mintgroen en Snoopy was een neger.

Ze zag er netjes uit, maar door de moreel verantwoorde kledij scheen een ondeugend zonnetje. Voornamelijk haar rondingen vielen bij mij wel in de smaak. Ik ben verre van een knutselaar, daar ben ik namelijk veel te houterig voor, maar als ik ooit een cursus figuurzagen zou volgen dan zou ik tijdens de eerste les haar figuur zagen. Omdat ik zat te dromen over de dingen die zouden kunnen gebeuren als ik de ballen zou hebben om haar aan te spreken, ontging het me bijna dat ze op het punt stond uit te stappen. Op de laatste trede draaide ze zich om en schonk me een lach die mij de hele nacht wakker heeft gehouden. Het was zo'n lieve, vertederende lach – niet zo'n lach die je schenkt aan een geestelijk gehandicapte bij wie je initialen toevalligerwijs in opgedroogd kwijl op de trui staan. Ontwapenend. Ze keek op het moment van lachen compleet door me heen, maar op een heel lieve manier. Ze was een soort van röntgenapparaat in een kinderziekenhuis, zo eentje met tientallen Disney-stickers en wat kleurrijke tekeningen van tevreden klantjes erop. Niet veel later gingen de deuren dicht, zij stapte de donkere herfstavond in en ik, ik ergerde mezelf groen en geel aan mijn lichtzinnige en ondoordachte druilerigheid. Dus stond ik maar op. 'STOP BESTUURDER, MIJN HOUTJE-TOUWTJEJAS ZIT TUSSEN DE DEUR!'

I

Ik word wakker in een vreemd bed. Ik sta op en kijk uit het raam. De Weteringschans ligt er vredig bij. Tram 10 hobbelt langs en een oude vrouw laat haar hondje uit. Nu ik weet waar ik ben, moet ik erachter zien te komen wat ik hier precies doe. Op het bed ligt het meisje van de tram, naast het bed staat een lege fles wodka en op het voeteneind ligt een polaroid. Het meisje ligt op haar rug en op haar buik staat een tekst geschreven. Het is overduidelijk geen tatoeage. Ik bekijk het kunstwerk van dichtbij en kom tot de conclusie dat het mijn handschrift is. Links van haar navel zit een deurtje en daarboven staat de tekst: VERBODEN TOEGANG VOOR TORREN EN SPINNEN, ALLEEN VLINDERS MOGEN DOOR DEZE DEUR NAAR BINNEN.

Ze heeft donker haar en bijzonder volle lippen. Naast haar bed staat een kitscherig beeld van Jezus, om Zijn rechterhand hangt mijn horloge en op Zijn linkerhand ligt een pakje condooms. Ik ben geen heilig boontje, maar uit respect voor de Zoon van God pak ik de kapotjes en keil ze in de richting van de bank.

In de badkamer zit een kat, een dikke kat, hij kijkt angstig. Ik steek mijn rechter wijsvinger uit. Hij ruikt wat, kijkt omhoog en besluit mij een kopje te geven. Nu zou ik kunnen beweren dat ik erg goed met dieren kan opschieten, maar ik kan ook gewoon eerlijk zijn en zeggen dat die vinger waarschijnlijk nog naar het baasje rook. Hoe dan ook, het is tijd voor een warm bad. Terwijl het bad volloopt, poets ik mijn tanden met de meest proper uitziende tandenborstel die ik kan vinden. Omdat een of andere mongool met lippenstift op de spiegel heeft getekend, valt het niet mee om mezelf eens goed te bekijken, maar wat ik wel zie zijn immense wallen onder mijn ogen en tientallen lange haren in mijn baard. De tekening op de spiegel is niet helemaal duidelijk, het lijkt op een piemel die door een vrouw is getekend. Vrouwen zijn niet erg bekwaam in het schetsen van een lul. Niet dat ik met behulp van een vulpotlood een foutloze dwarsdoorsnede van een kut kan creëren, maar in dit mannelijk geslachtsorgaan zie je duidelijk de hand van een vrouw. Zo zit er geen haar op de balzak en is het plasgaatje spoorloos verdwenen, waardoor de eikel meer iets heeft van een hoofdletter A.

Het badwater is nog veel te heet, maar toch besluit ik kopje-onder te gaan. Haar dure shampoo prikt namelijk gigantisch in mijn ogen en daarom duw ik mijn hoofd, tegen beter weten in, onbehouwen naar beneden. Een kleine tien seconden later kom ik vloekend naar boven: 'Godverdomme, dat is echt niet normaal heet.' Ik hoor het gegiechel van een vrouw. Ze staat in de deuropening, poedelnaakt. Ondertussen imiteert het topje van mijn erectie de sluwe blik van een krokodil die zich op slinkse wijze in het zeepsop verschuilt. 'Heb jij die spiegel zo toegetakeld?' vraag ik, terwijl ik mijn oksels inzeep. 'Dat is jouw dinges, hoor, herken je hem niet?' Ik kijk door het badwater naar beneden en zie inderdaad enige gelijkenis met de lippenstiftlul op de spiegel. 'Waar is al mijn schaamhaar gebleven? Het voelde al zo raar, niet dat ik tegen een kale zak ben, hoor. Heb je weleens een pet op? Zo voelt het: alsof je de hele dag een pet op hebt gehad en deze zeker nog een uurtje voelt nadat je hem hebt afgezet. Mijn schaamstreek bevindt zich nu in dat uurtje.'

'Nou, het ging zo. We hadden een weddenschap afgesloten: jij beweerde dat je vijf minuten eerder bij mijn huis kon zijn dan de fietstaxi. Dus toen heb je mij geld voor de fietstaxi gegeven en ben je zelf keihard gaan trappen op mijn fiets. Uiteindelijk verloor je de weddenschap omdat je de hele route sneaky achter de fietstaxi bent blijven fietsen.'

Ik lach. 'Ja, dat is wel zo netjes. Ik ga je toch niet alleen laten met een fietstaxichauffeur? Sta ik daar voor je huis, trots en wel, terwijl die maffe Canadees je aan het verkrachten is. Maar ik verloor dus en toen heb ik mijn ballen moeten scheren? Hadden we ook een tegenprestatie? Vast niet hè, godverdomme, ik ben zo slecht in het bedenken van weddenschappen.'

Ze stapt in bad en komt met haar rug tegen me aan zitten. Ik pak een stuk zeep en boen de tekst weg die ik gisternacht met behulp van een balpen op haar buik heb geschreven. 'Ik weet niet wie je bent of wat je doet, maar ik ben nu, op dit moment, belachelijk gelukkig,' zegt ze, terwijl ze nonchalant haar nagelriemen corrigeert.

'Gelukkig zijn is een mooi iets, zeker in een tijd waarin mensen niet voor het geluk gaan maar simpelweg genoegen nemen met minder ongelukkig zijn,' zeg ik, terwijl ik haar borsten nonchalant van zeep voorzie.

Ze pakt mijn hand vast. 'Ik ben Polly en ik wil je beter leren kennen.'

Ik geef de bovenkant van haar schedel een kus. 'Ik ben James en ik heb trek in koffie.'

Polly wist allang wie ik was, in haar karige boekenkast spotte ik namelijk mijn twee romans. De opvallende laklederen kaft van *Koetjes en Kalffes, Kutjes en Zalffes* glinsterde in het ochtendlicht. Mijn debuut. Een meeslepend drama over Petra, een Zeeuwse boerin die tijdens de mond-en-klauwzeerepidemie van 2001 begon met tippelen. De onverzettelijke hoerin melkte in de ochtend koortsige koeien en in de avond melkte ze vadsige vrachtwagenchauffeurs, oraal. Het was een rauw boek, een emotionele achtbaan, of zoals de eloquente recensent van *de Volkskrant* het zo mooi zei: 'Worthy schrijft zoals schildpadden neuken. Op pagina 2 hoopte ik al dat ik spontaan kanker in mijn oogballen zou krijgen.' Ook mijn tweede boek, *Trammelant, de Beffende Specht*, uitgegeven door De Vlezige Dij, pronkte in de rommelige boekenkast van mijn nieuwe liefde. Dit ingenieuze meesterwerk handelde over een in Kerkrade gelegen seksclub voor mensen met de ziekte van Parkinson. 'Haal die vibrator nou eens uit mijn kut, Guido,' zanikte Ria. Guido haalde zijn drie vingers uit Ria en reageerde venijnig. 'Ik heb geen vibrator, ik heb Parkinson, jij achterlijke trilkut.' *Trammelant* verkocht niet echt goed, maar werd uiteindelijk wel verfilmd. Het was de grote doorbraak voor Tanja Jess en werd als film vaak vergeleken met klappers als *Rain Man* en de eerste paar films van Kubrick.

*

Het schoolplein van de Amsterdamse Montessori School stroomt inmiddels vol, ik zie camera's van AT5, collega-journalisten van de plaatselijke courant en dat kleine ventje met die groene pet zwaait nog steeds. In mijn jaszak heb ik een tiental lolly's, salmiakknotsen om precies te zijn. Die heb ik net nog gehaald bij de buurtsuper, enkel en alleen voor de veiligheid van de schoolkinderen. Als ik het snoepgoed links gooi en rechts spring, tja, dan is de kans dat ik een scholiertje plet bijzonder klein. De eerste vijf lolly's gaan de lucht in, en ik stop er eentje in mijn mond. De meest rechts gegooide lolly maakt een prachtige vlucht en wordt uiteindelijk gevangen door een vrouw met kort rood haar. Een adembenemende verschijning, voor wie ik zo zou kunnen vallen, stop! Dankzij deze vrouw ben ik ineens in het bezit van een erectie. De zon knipoogt van achter een wolk en mijn leven krijgt weer zin. Er is vast geen handboek voor suïcidaal volk, maar als je een stijve krijgt tijdens een zelfmoordpoging weet je gewoon dat het jouw tijd nog niet is. De vrouw zwaait, ik lach. De vrouw schudt met haar hoofd.

Nee! Tering, dit kan niet waar zijn. Het is... het is Polly. Blijkbaar heeft ze na het ruïneren van mijn hart een nieuw kapsel genomen. Zo zijn vrouwen. Nieuwe man, nieuwe toekomst. Nieuwe toekomst, nieuw belachelijk dom kapsel. Dan voelen ze zich herboren, 'dit kapsel past perfect bij hoe ik nu in het leven sta'. Eigenlijk wil ik op haar landen, tegelijkertijd sterven, net als Romeo en Julia, alleen dan iets bloederiger en minder romantisch. Ruggengraat hier, kaakbeen daar en onze liters bloed die samenkomen in een hartvormig plasje.

Mijn telefoon gaat en ik zie een foto van een lachende Polly op het scherm. 'James? James? Kom van dat dak, je hebt hoogtevrees, waar de *fuck* ben je mee bezig?'

'Dag Pol, ik hoor je niet zo goed, slecht bereik hier.'

'James, je staat op een dak, lul niet!'

'Weet je wat het is, lief, ik kan niet meer. Iedere dag probeer ik je op een geforceerde en onnatuurlijke manier te vergeten, je een plekje te geven op de overbevolkte camping in mijn hart, maar de herinneringen lokken mij voortdurend uit mijn veilige tentje. Zo kom ik als ik de tram naar werk pak langs de plek waar ik je voor het eerst gezoend heb en het huis waar we voor het eerst hebben geseekst. En als ik dan weer thuiskom van werk word ik zo hard met mijn neus op de feiten gedrukt dat ik met een bloedneus door de voordeur loop. Ik stap mijn huiskamer binnen en zie alle fotolijstjes met de rug naar mij toe staan. Alle dingen die mij aan jou doen denken heb ik omgedraaid, alles is dus omgedraaid. Mijn huis is één grote b-*side*.'

'James, ik hou van je, maar ik had de laatste maanden het gevoel in een pierenbadje te zitten. Het was lekker warm, maar er gebeurde geen ene flikker en ik heb soms gewoon een sprong in het diepe nodig.'

'Prima uitgedrukt, nee echt, wat heb je trouwens met je haar gedaan? Mooi rood, hoor, die kleur doet mij een beetje denken aan mijn bloedende hart.'

'Stel je niet zo aan, dikke, kom lekker naar beneden, dan doen we een bakje koffie.'

'Denk je echt dat ik zo naar beneden kan lopen? Trappetje af en gezellig een koffie verkeerd kan doen met een harteloze heks, pardon, de liefde van mijn leven? Volgens mij word ik gearresteerd en hardhandig ook, omdat ik al die kindertjes zo heb laten schrikken. Eentje dacht trouwens dat ik een stuntman was. Ik mis je, Pol. Ik mis het kneden van je billen, het gepraat in je slaap, het feit dat je net als iemand uit 1923 geen siroop maar ranja zegt. Je belabberde imitatie van iemand met een Amsterdams accent en jouw hand in mijn bak popcorn. Maar het meest mis ik nog dat ik in de ochtend iemand kan uitzwaaien, het getik op de badkamermuur als je bepaalde plekken aan het scheren bent, de manier waarop je mij kussens geeft als het tijd is voor standje negenenzestig, en Pol, ik mis de toekomst.'

2

In mijn jeugd was ik nog vrij normaal, althans toen stond ik nog niet als een walgelijke *drama queen* op de daken van onderwijsinstellingen te balanceren. In die tijd wilde ik wel graag zwart zijn. Ik was niet stoer, dansen zat niet in mijn bloed, mijn piemel was niet langer dan een rolletje Lakrisal en dunner dan een dropveter. Als klein blank jongetje heb je maar twee keuzes: of je wordt slim of je wordt gek. Slim worden kost bergen studiegeld en levert vaak lelijke vrouwen op. Gek worden is niet goed voor je strafblad, maar de vrouwtjes houden wel weer van slechteriken. Slim worden lijkt makkelijk, maar dan krijg je te maken met de hoge verwachtingen van paps en mams. Eén slecht rapport en ze nemen je spelcomputer in beslag. Gek worden is makkelijk. Als je niet studeert dan ga je maar in de tuin spelen en wat kom je daar tegen? Insecten! En voor je het weet sta je met een bus haarlak en een doosje lucifers mierenhopen in de fik te steken. En van een mierenhoop ga je naar een rups en van een rups ga je naar een kikker en van een kikker ga je naar een onvolgroeide peuter. Hoppakee, de seriemoordenaar is geboren.

Naast het probleem van mijn huidskleur was ik een stotteraar, shit, dat ben ik nog steeds, maar ergens in 1986 probeerden mijn lieve ouders daar iets aan te doen. Ja, het was de zomer van 1986, ergens in het midden van juli. Samen met mijn moeder liep ik naar de logopedist. Ik stotterde altijd al, maar werd in die bewuste periode nogal agressief van mensen die mijn zinnen dachten te kunnen completeren. Mijn moeder kreeg elke dag wel een telefoontje van een boze moeder wiens kind onder de blauwe plekken zat, vandaar mijn bezoekje aan de spraakdokter. In feite had ik niets tegen de mensen die mij probeerden te helpen tijdens een gesprek, maar mijn hele leven leek wel een spelletje Hints. In mijn jeugd verzamelde ik bijvoorbeeld graag schelpen, dus als mensen vroegen wat mijn hobby's waren zei ik: 'Ik spaar sch sch sch sch...!' Meestal gaf de onzichtbare Anita Witzier het startteken na de vierde herhaling van een beginklank. 'Schaafijs! Schaatsen! Schaakstenen! Schapen! Schoenlepels!' Na de zesde gok stond ik ofschoon ik al druk aan het wisselen was met mijn bek vol tanden. Daarom drukte ik volgens vaste gewoonte na de zesde gok maar gewoon mijn ene wijsvinger op mijn linkerneusvleugel, terwijl ik met de andere wijsvinger in de richting van mijn gesprekspartner wees. Ik was vast niet de enige zesjarige in Amsterdam die schaamhaar spaarde.

In het eerste decennium van mijn leven zijn veel belangrijke keuzes op bovenstaande manier genomen. Tijdens een pauze op de basisschool vroeg ik openlijk verkering aan de bloedmooie Myrthe, maar in plaats daarvan kreeg ik twee lange weken verkering met de onesthetische Mirjam. En toen mijn eerste voetbaltrainer vroeg op welke plek ik wilde spelen was het ook raak. In die tijd was ik al een talentvol voetballertje op straat en stonden er diverse scouts van profclubs tussen de blèrende ouders om te kijken of ik er op het veld ook iets van zou bakken. Voor de wedstrijd vroeg de coach aan mij waar ik kon spelen. 'Ik k k k k...!' De trainer pakte de keeperhandschoenen uit zijn tas en ik moest tussen de palen gaan staan. Na de wedstrijd vroeg mijn vader wat ik had gezegd tegen de trainer. Met wat ijsblokjes op mijn gekneusde vingers zei ik verontwaardigd: 'Ik zei: "Ik kan overal spelen."' Een extreem frustrerende tijd dus, waarin ik bij mijn moeder informeerde of er ook mimescholen bestonden aangezien ik daar misschien wel goede cijfers zou kunnen halen voor spreekbeurten.

Waarschijnlijk was ik een van de meest luie stotteraars ooit, want in mijn logopediegroepje liepen collega-hakkelaars rood aan en leek het net of ze aan het bevallen waren tijdens hun ietwat stroef verlopende conversaties. Puffend en met spastische oogleden kregen ze het verlossende woord er dan na drie minuten uit. Vol trots keek die persoon dan naar de logopedist en die gaf lachend een knikje. Dat knikje heb ik nooit gekregen. Ik mag dan wel een stotteraar zijn, maar ik zeg liever niets dan dat mijn gesprekspartner denkt dat ik op eigen kracht aan duiveluitdrijving doe. Hierdoor ben ik waarschijnlijk de enige persoon ooit die de klas uit is gestuurd omdat hij niets zei.

Dankzij de bezoekjes aan de logopedist ging het snel beter met mijn spraak, deze vooruitgang kwam grotendeels door mijn aangepaste manier van ademen. Voor die tijd zat mijn neus er voor de sier, het enige wat er mijn neus in en uit ging waren mijn vingers. Toen ik er uiteindelijk door ging inademen, begon ik met slap ouwehoeren. Het drassige, roerloze moeras waar je soms een kikker in zag verdwijnen maakte plaats voor een spraakwaterval die menig rubberbootje met verbale tegenstanders heeft verzwolgen.

Stotteren, een flink obstakel voor iemand met een scherpe tong. Maar als ik mijn leven over zou mogen doen, zou ik nog steeds een stotteraar willen zijn. Niet alleen omdat de meisjes op de basisschool het schattig vonden en ik door mijn spraakgebrek dus flink heb mogen tongzoenen op klassenfeestjes waar de shandy rijkelijk vloeide, maar dankzij het stotteren ben ik het praten meer gaan waarderen. Wat logisch is. In mijn jeugd was het namelijk elke dag acht uur en vier mei. Dagelijks stond ik stil bij zinnen die sneuvelden nog voordat ze mijn volle lippen waren gepasseerd. Op het puntje van mijn tong werden ze dan begraven, de onfortuinlijke woorden die de pech hadden dat ik ze wilde uitspreken. De blauwe ballen die iedere man wel eens een keertje in zijn zak heeft voelen bungelen zijn makkelijk te vergelijken met de blauwe tong van een stotteraar. Zoals het orgasme uitblijft bij een naar seks snakkende stakker, zo voelde ik me als mijn smaakpapillen de bittere nasmaak van een mislukte poging tot praten opvingen.

Polly heeft trouwens nooit een probleem met mijn gehakkel gehad. Als we in een hip restaurant zaten, ergens in de Negen Straatjes, zo'n tent waar veertien scooters voor de deur staan en iedere vrouw rondloopt in een I hartje NY T-shirt, dan vroeg ik haar of zij wilde bestellen. 'Schat, ik ben echt moe en het is benauwd, ik weet zeker dat ik zo ga stotteren als ik de ossenhaaspuntjes in portsaus bestel.'

Toch ging het praten langzaamaan beter, maar juist op dat moment stak een ander probleem de kop op: masturberen. Mijn eerste keer was in een tent op een camping in Zuid-Frankrijk. Zij was een voluptueuze badmeesteres van een jaar of achttien en ik was een kleine blonde uitslover in het zwembad. We hadden al een paar dagen frequent oogcontact en ondanks mijn twaalf jaar was er toch sprake van een nadrukkelijk aanwezige seksuele spanning. Twee dagen voordat we met de vouwtent op vakantie gingen, werd ik al wakker met een vreemd gevoel. Een gevoel dat het best herkenbaar is voor mensen die affiches en posters op lantarenpalen plakken. Ze smeren de paal in met plaksel en dan blijkt dat ze geen posters meer hebben. Ik werd die ochtend dus wakker met het 'beplakte paal zonder affiche'-gevoel. Dit hadden we ooit eens behandeld tijdens een biologieles, maar ik was even helemaal de weg kwijt. In die les kreeg ik te horen dat dit een 'natte droom' werd genoemd. Die ochtend was ik echter helemaal niet nat, ik was een pannenkoek met stroop. Toen ik een paar minuten later onder de douche stond waste ik alles weg, behalve de glimlach op mijn smoel.

Hele dagen spendeerde ik in het zwembad, hopend op een teken van mijn rondborstige godin. Om de tijd te doden en om haar te imponeren, probeerde ik tijdens mijn vlucht vanaf de kant tot in het water zo veel mogelijk salto's te maken. Ze had weinig aandacht voor me, ze was druk bezig met een meisje dat met haar hoofd op de rand van het zwembad was geland. Maar toen de ambulance wegreed gebeurde het, ze gaf mij een vette knipoog. Ik was zo opgewonden dat ik zonder handen het trappetje in het zwembad op kon gaan. Die avond zou het dan toch echt gaan gebeuren, dus ging ik terug naar de tent. Daar zat mijn zus, ze miste twee tanden en had verband om haar hoofd.

*

We lagen samen in mijn afgeprijsde iglotentje van Perry Sport. Het was best koud, dus we lagen onder een slaapzak. We zoenden wat en ze duwde mijn hoofd tussen haar benen en toen ik vanaf die plek naar haar gezicht keek, zag ik iets wat me altijd is bijgebleven. Vrouwen trekken soms een grimas net voor het beffen, een bepaalde grijns die mannen de stuipen op het lijf jaagt. Sinds die avond noem ik dat het 'bang voor de tandarts'-gezicht. Want het gezicht valt te vergelijken met het gezicht dat mensen trekken als ze in de stoel van de tandarts liggen en donders goed weten dat ze niet goed hebben gepoetst. Dat gezicht beangstigde mij zo erg dat ik zwetend wakker schrok. Ik lag alleen in mijn tentje en toch voelde ik me lekker. Mijn rechterarm was een beetje moe en mijn onderbuik glinsterde als ik er met mijn zaklamp op scheen. Die vakantie werd een nieuwe verslaving geboren.

Een jonge rukker begint altijd met boekjes, eerst met alles waar een vrouw in lingerie in staat. Aangezien de catalogussen steeds dikker werden en je die niet meer in je broek mee naar de wc kon nemen, was je verplicht een tijdschrift aan te schaffen. Een moeilijk moment, zo'n tijdschrift haal je natuurlijk niet bij de sigarenboer om de hoek. Dus pakte ik de tram naar een andere buurt. Ergens in Osdorp ging ik een winkel binnen. Er stond een jonge vrouw achter de kassa en in die tijd betekende dat dat er een catalogus in mijn broek verscheen. Meisjes zaten altijd wel te janken over hun pubertijd en hoe zwaar het wel niet is om ongesteld te worden – alsof wij het makkelijk hadden. Bij jullie kwam het bloed er tenminste uit, bij ons liep het steeds een doodlopende weg in. De term 'stijfvloeken' moet wel uitgevonden zijn door een mannelijke puber, want na een tijdje word je godverdomme strontziek van je eigen zwellichamen.

Strakke onderbroeken waren toen nog hip, maar strakke onderbroeken en erecties gaan echt niet samen. Ook ik droeg strakke onderbroeken onder mijn 501 en dat betekende dat ik eventjes stil moest blijven staan in die winkel. De vrouw achter de balie keek mij aan en vroeg wat ik wilde. 'Drie pakjes Panini-plaatjes, een pakje BenBits en ik zoek een cadeau voor een vriend van me.'

'Waar houdt die vriend van je van?'

'Uhmm, borsten en seks?'

Ze pakte de nieuwste editie van de *Chick* en rekende met me af. Voor ik de deur uit ging gaf ze me nog een knipoog, pas na drie minuten kon ik naar buiten lopen.

Na de plakboekjesfase verlangt een jongeman naar bewegende beelden. Vooral MTV deed het bij mij erg goed, clips van bijzonder begaafde muzikanten als Samantha Fox, Sabrina en Madonna die als promotie dienden, gebruikte ik voor hele andere doeleinden en pas eind jaren negentig kwam ik erachter dat die 'M' voor '*music*' stond. Muziekvideo's gingen na een tijdje toch vervelen en toen ontdekte ik de tv-gids en de timerfunctie op de videorecorder. Overdag tikte ik alle gegevens in met behulp van de afstandsbediening en de dag erna had ik een pornotape. Althans, ik zag soft-erotische films in die tijd als porno. Zolang ik een hoogblonde vrouw met rode lippenstift hoorde kreunen terwijl een man met zijn spijkerbroek over haar spijkerbroek schuurde, was ik al tevreden. Mijn vader en moeder zullen wel vreemd opgekeken hebben elke keer dat de videorecorder rond de klok van halfelf zichzelf inschakelde op de commerciële zenders. Alle videohoezen in mijn kamer zaten na verloop van tijd vol met programma's als *Red Shoe Diaries* en *Seks voor de Büch*. Mijn slaapkamer fungeerde dan ook als seksvideotheek voor klasgenoten. Met het geld dat ik daarmee verdiende kocht ik af en toe nog een *Chick*, maar het grootste deel van mijn winst ging op aan tweedehands pornofilms die een videotheek op de Overtoom verkocht. Mijn eerste echte pornofilm was *Bone Alone* uit 1993 met Angela Faith en Ron Jeremy, sindsdien wilde ik niets anders meer.

Polly was niet zo van de zelfbevrediging, 'te veel gepriegel en gepulk', vond ze, maar ze heeft mijn obsessieve geonaneer nooit als verwerpelijk ervaren.

'Zes keer per dag en dan ook nog met mij iedere avond? Ik kan niet eens boos op je worden, het is een bewonderenswaardige prestatie. Denk je trouwens aan mij als je rukt?'

'Vrijwel altijd, nee, wil je een eerlijk antwoord? Van de tien keer denk ik twee keer aan jou, maar dat zijn dan wel de beste keren natuurlijk.'

'Weet je wat, James, de volgende keer als we uit eten gaan bestel je je eten lekker zelf, lul!'

Mijn jeugd bestond dus uit spraakhandicaps, het cremeren van levende insecten en het volspuiten van tennissokken. Ik was een vreemd kind, een cynisch kind, maar mijn ouders hebben nooit last van mij gehad. Natuurlijk waren er momenten dat het bijna uit de hand liep, maar dan verzon ik gewoon een leugen. Zo heb ik ergens in 1996 drie weken gespijbeld. Vraag me niet waarom, ik had gewoon geen zin in school. Uiteraard was het Montessori Lyceum niet blij met mijn snipperdagen, dus moest ik op gesprek komen bij Tineke van Leeuwen, een helse tang. Ze had een wrat op haar neus, zo'n hele grote. Roald Dahl zou het gevaarte omschreven hebben als een karbonkel zo groot als een perzik.

'James, waarom was jij de laatste drie weken niet op school?'

Ik keek naar haar wrat en begon te huilen. 'Mijn ouders... ze liggen midden in een scheiding. Mijn vader is vreemdgegaan met de dwarsfluitlerares van mijn zus. Natuurlijk ben ik boos op hem, maar stiekem toch ook wel een beetje trots. Die dwarsfluitlerares, sodeju, iedere gezonde vader hoopt dat ze een keertje op haar roomblanke knietjes gaat en iets van Claude Debussy begint te spelen.'

Van Leeuwen keek geschokt, ik begin nog wat harder te huilen. 'Sorry,' zei ik snikkend, 'maar als ik pijn heb maak ik grapjes, zo zit ik in elkaar.'

'Het is al goed, James. Vanaf morgen gewoon weer naar school, dan praten we er niet meer over. Dit is ons geheimpje, oké?'

Montessori, zo mooi, als je met een berg excuusjes kwam, ging je gewoon over. Met waterige ogen verliet ik het hol van de leeuw, intens gelukkig, want ik had echt geen zin in een boze vader.

Zo'n kleine tien jaar geleden begon ik het steeds vaker te horen: 'James jongen, jij begint meer en meer op die pa van je te lijken.' Veelal kwamen dit soort uitspraken uit de mond van dementerende tantes, citroenbrandewijndrinkende lieverds met getekende wenkbrauwen en orthopedische schoenen. Alhoewel ze het ongetwijfeld niet verkeerd bedoelden, krenkte het mij toch een beetje. Als twintigjarige bink wil je simpelweg niet lijken op een man die opgewonden raakt van stationwagens, Dire Straits-albums en cowboylaarzen. Ja, mijn vader droeg graag zwartlederen cowboylaarzen, van die treurige Amerikaanse stappers met vlijmscherpe neus en zo'n homofiel hakje. Achteraf bleek dat hij die dingen alleen maar droeg om mijn moeder te pesten, maar hoe ik het ook wend of keer, mijn vader liep er vaak bij als een geestelijk gehandicapte cowboy. Tegenwoordig heb ik veel minder moeite met dit soort vergelijkingen. Ik zie zelf natuurlijk ook donders goed dat ik steeds meer op die ouwe begin te lijken. Net zoals hij echt wel doorheeft dat hij bijna precies opa is. Mijn opa was een tevreden man die erg veel van koekjes hield en als er bezoek was dan ging hij steevast aan de eettafel roken. Ook 'zong' hij altijd het 'pom-pom-pom'-liedje, een wonderlijk en bijzonder kort deuntje waarmee hij duidelijk maakte dat hij prima in zijn vel zat.

*

Mijn vader groeide op in Bootle, een grauwe buitenwijk van Liverpool. Een broedplaats voor draaideurcriminelen en de plek waar de wortels liggen van profvoetballers als Jamie Carragher en Steve McManaman. In 1993 haalde Bootle het wereldnieuws vanwege de beestachtige moord op James Bulger. De rest van Engeland heeft sinds het ontstaan van de stad geen hoge pet op van Liverpool en diens inwoners, het is volgens velen het afvoerputje van Groot-Brittannië. Men ziet de mannen als laaggeschoolde kruimeldieven en de vrouwen als dellen die hun maagdelijkheid op elfjarige leeftijd verliezen in een afgekeurde Ford Sierra. Ja, als we de vooroordelen mogen geloven dan stikt het er van de snollen en schooiers, maar Liverpool heeft echt wel meer te bieden dan onveilige tienerseks en wieldopdieven. Het is onder andere de onbetwiste bakermat van de popmuziek, geen enkele stad op deze aardbol heeft meer nummer 1-hits voortgebracht dan Liverpool. Ondanks een hevig florerende muziekscène vertrok mijn vader al op jonge leeftijd uit de stad, hij verkoos de zeevaart boven een leven in Liverpool. Mijn vader zat dus liever met tachtig man op MS. De Blauwbal dan in een stad waar gedrogeerde hippiemeisjes zonder pardon aan je snikkel wilden zuigen als je hetzelfde kapsel als Paul McCartney had. Ik ben heel blij dat mijn vader voor het matrozenleven koos, aangezien veel van zijn vrienden die wel in Liverpool bleven hangen al lang en breed onder de groene zoden liggen. Van een natuurlijke dood was nauwelijks tot geen sprake, dikwijls had hun overlijden van doen met overmatig drank- en drugsgebruik of excessief geweld. Mijn vader ontsprong de onvermijdelijke dans, om uiteindelijk aan te meren in Amsterdam.

Hij had het wel even moeilijk met onze hoofdstad, Amsterdam is voor een Engelsman namelijk geen makkelijke stad. Het bier is hier sterker, de kroegen zijn langer open en als je niet weet wanneer je moet stoppen zijn dat bijzonder grote veranderingen. Na een paar overnachtingen in de goot en wat andere afdwalingen maakte mijn vader de twee beste keuzes van zijn leven: hij begon een relatie met mijn moeder en startte een eigen bedrijf. Een eigen zaak hebben is voor mannen uit Liverpool een belangrijk iets. Of je nou van ramenlappen je beroep hebt gemaakt of je geld verdient met het maken van hoesjes voor mobiele telefoons, het maakt helemaal niets uit zolang je de touwtjes maar in eigen handen hebt. Veelal is het ook gewoon noodzaak, aangezien het onder iemand werken onbegonnen werk is voor een alwetende en trotse Scouser.

Het bedrijf van mijn vader voert las- en constructiewerkzaamheden uit, dus is je boot lek, heb je een balustrade of tuinhek nodig, mijn pa maakt het in een handomdraai. De laatste jaren maakt hij vooral veel kooien en palen; kooien waar halfnaakte dames erotisch in dansen en palen waar diezelfde halfnaakte dames sensueel in hangen. Hij is dus niet alleen een prima vakman, maar ook een ouwe viezerik. Vroeger hielp ik nog weleens mee met bepaalde klussen. Vooraf zei ik dan dat ik echt niet betaald hoefde te krijgen voor mijn diensten, maar ik wist maar al te goed dat ik aan het einde van de dag vijftig gulden zou krijgen. Een bedrag waar ik overigens absoluut recht op had aangezien ik tien uur lang in mijn broek scheet. De werkplaats van mijn vader staat namelijk vol met barbaarse machines, apparaten die je als je even niet oplet gehandicapt kunnen maken en ik let godverdomme nooit op. De keren dat ik hem hielp, vielen meestal in een periode waarin het bedrijf goed liep. Als het slecht ging hadden mijn zus en ik dat razendsnel door. Buitenstaanders trouwens ook, want dan maakte onze Volvo, Volkswagen of Mercedes plaats voor een barrel zonder veiligheidsgordels en ramen. Ik kan me nog een zilveren Peugeot herinneren, een wagen die mijn vader had overgenomen van ene F. Flintstone. Dat ding ging van 0 naar 100 in een week. Helemaal niet erg natuurlijk, dat is nou eenmaal het risico van een eigen bedrijf. Op de ene dag eet je biefstuk, op de andere dag moet je een tartaartje delen met je zus.

Ik kon mijn vader af en toe wel vermoorden. Nu heb ik alleen nog respect voor de man. Oké, hij schreeuwde als de buitenspelval door mijn toedoen mislukte, maar hij was wel de enige vader die bij iedere training en wedstrijd aanwezig was. Bijna alle andere vaders drukten hun exotische snor, waardoor onze oude Peugeot of degelijke Volvo iedere zaterdagmorgen vol zat met minimaal zeven teamgenootjes. Na de wedstrijden op zaterdag deden mijn pa en ik altijd boodschappen, ik deed dat tot mijn achtentwintigste. Veel zoons zouden zich schamen, maar we hadden het altijd leuk in de supermarkt en als we thuiskwamen met drie zakken chips kon hij mij de schuld geven. Na de boodschappen gingen we ook altijd nog even langs de videotheek om twee films te huren. Mijn vader koos een film uit en ik koos een film uit, zijn films waren altijd kut. Als hij ook maar één acteur kende, dan moest het wel een goede film zijn. Dan kwam hij naar me toe met een hoes in zijn handen: 'Deze lijkt mij echt goed, Ray Liotta zit erin, hij speelde echt sterk in *Goodfellas*!' En dan maakte het hem echt niet uit dat de rest van de cast bestond uit Koos Postema, Aad van Toor en Sandra Reemer, hij wilde die film per se zien. Erg vermoeiend, die man.

Echt diepe gesprekken zullen mijn vader en ik nooit hebben. Ik heb daar totaal geen behoefte aan en hij al helemaal niet. Het draait bij ons om andere dingen: samen lachen, samen sporten, samen eten, samen naar voetbalwedstrijden gaan, het is vriendschap in haar meest pure vorm. Over twee uurtjes staan we weer samen op de tennisbaan, lekker dubbelen met Ome Jan en een andere vriend. Ik val nu al een paar jaar in als er iemand verhinderd is en ik speel nooit met mijn vader in een team. We spelen altijd tegen elkaar en meestal win ik, maar goed, hij is zo'n zestig jaar ouder dus ik ga ook echt niet pronken met mijn superioriteit. Samen spelen is nooit een optie geweest: we kunnen slecht tegen ons verlies en als het niet lekker gaat, gaan we gekke dingen roepen. We zijn overduidelijk geen teamspelers dus. Een paar maanden terug won zijn team eindelijk weer eens en toen heeft hij het geweten ook. De week na die zeldzame overwinning moest hij op blote voeten tennissen aangezien ik de avond ervoor zijn schoenen uit zijn tennistas heb gehaald. Met verbazing, de slappe lach en een tikkeltje trots keek ik die avond over het net, waar een verre van lichtvoetige ouwe zak de vloer met mij wist aan te vegen.

Hoe zwaarlijvig mijn vader ook was, als ik in de problemen zat was ik veel banger voor mijn moeder. Mijn moeder is speciaal, of zoals de Ieren het zo mooi zeggen: 'Een man houdt het meeste van zijn geliefde en het beste van zijn vrouw, maar het langst van zijn moeder.' Mijn visie wat moeders betreft is dat ze ooit op een grauwe avond, toen er niets op de televisie was, God hebben bedacht. Moeders zijn van nature namelijk enorm bescheiden en willen liever dat een ander alle lof krijgt toegezwaaid, zodat ze zelf niet naast hun schoenen gaan lopen. De wonderen die ze verrichten zijn namelijk niet van de lucht; zo heeft mijn moeder mij een dikke twintig jaar geleden leren fietsen. Ik ben niet in de wieg gelegd voor de wielersport, maar dankzij mijn geduldige moeder, een fiets met zijwieltjes en twaalf pleisters zit ik heden ten dage toch met een goed gevoel op de fiets. Op de geniepige grindpaadjes van het Vondelpark heb ik mijn eerste meters gemaakt. Erg hard ging het niet dus mijn moeder hoefde niet eens te joggen om me bij te kunnen houden. Ze liep uiterst kalmpjes over het grind met een brandende Gladstone in haar rechterhand. 'Kom op, James, je kan het, tot die grote boom daar!' Vol goede moed trapte ik mijn kuitjes zuur tot ik de eerstvolgende grote boom had bereikt. Ik bleef maar trappen, totdat ik opeens oog in oog stond met een pitbull, ongetwijfeld een lief beest, maar de dunne poep druppelde al bijzonder snel van spaak naar spaak. De hond leek geïnteresseerd in mijn regenboogkaplaarzen en snuffelde er wat aan voordat hij zijn bek opentrok en in mijn linkerknie wilde bijten. Net voordat zijn tanden mijn peutervlees zouden doorklieven, trok moederlief mij in mijn geheel van de fiets af die drie jaar geleden nog van mijn zus was geweest. Als klap op de vuurpijl gaf ze de hond ook nog eens een forse tik op de neus. Uiteindelijk heeft ze deze laatste actie wel met een tetanusprik moeten bekopen, een medische ingreep die verrassenderwijs geen ene flikker met de anus van doen heeft.

'Kom op, James, je kan het!' is een kreet die ik in mijn leven al zeker zo'n vierduizend keer heb gehoord. Of het nou op het voetbalveld was, onderweg naar een belangrijk examen of net voor ik een vliegtuig in stapte, mijn moeder moet altijd even melden dat ik het kan. Soms heb ik het echt nodig, soms iets minder, maar het werkt altijd. Het geloof en de steun van mijn moeder geven mij vleugels. Zo had ik ooit eens een carrièrebedreigende blessure aan de tong, de dokter zei dat ik nooit meer op hoog niveau zou kunnen beffen en ik had er zelf ook een hard hoofd in. Mijn wereld stortte in en de eerste sessie na mijn operatie verliep dan ook enorm stroef, totdat ik even naar de wc ging en mijn moeder opbelde. Drie minuten later lag het meisje in kwestie te kronkelen als een epileptisch wokkelchipje. 'Kom op, James, je kan het!' Natuurlijk kan ik het, ik kan alles.

O, en ik heb dus ook nog een zus.

3

Ik sta aan de waterkant, in mijn rechterhand heb ik een vuilniszak vast en de andere hand ligt op de klamme schouder van mijn
buurjongen. Het is precies twee weken na mijn eerste zelfmoordpoging. In de vuilniszak zit een dode kitten, een ietwat teleurstel-
lend verjaardagscadeau van vrienden.

'Wilde je hem echt op de hoek van de straat zetten? Maar
buurman, dat is toch niet normaal?' Ties is mijn buurjongen, negen jaar, een schat van een jongen, mijn makker. Hij zit altijd
voor mijn deur te tekenen en is hemels in al zijn heftigheid. Het
was dan ook zijn idee om het roodharige kattenlijkje brandend
te water te laten. 'Anders eten de ratten hem gewoon op, dat is
niet netjes. Wacht hier, buurman, ik haal wat spiritus, lucifers en
een schoenendoos.' Ties hijst zijn goedkope spijkerbroek op en
trekt een sprintje in de richting van onze straat. 'Verbranden is
vet respectvol,' schreeuwt hij, terwijl ik voorzichtig de vuilniszak
openscheur. Het arme beest is nog steeds levenloos en ik veront-
schuldig mezelf alvast voor het ophanden zijnde ritueel.

De kat zonder naam, werktitel: Cobus, ligt uitgestrekt op een
handdoekje. Van veraf lijkt het alsof hij ligt te zonnen. Ja! Bloe-
mendaal aan Zee, met zo'n Mexicaans homobiertje in de klauwen, een zonnebril van twee ruggen op de neusvleugels en een
aftandse okergele Seat op de parkeerplaats. Zijn ogen staan wa-
genwijd open. Ik heb ze op delicate wijze proberen dicht te doen,

net als in de film, maar de ogen van Cobus vertikken het om te sluiten. Dus pak ik twee muntjes van vijf cent uit mijn portemonnee en leg deze zorgvuldig op de stijfkoppige kijkers van mijn voormalige huisdier. In de verte hoor ik Ties aan komen rennen, ik draai me om en schiet in de lach. Hij draagt een zwart pak; voor de crematie, neem ik aan. Wat een mongool. Hij legt de spullen neer en ploft in kleermakerszit naast mij neer.

'Waarom heeft de kat geldogen?'

'Nou Ties, dat geld is voor de veerman. De veerman die Cobus naar een betere plek gaat brengen. De kattenhemel.'

Cobus ligt in de schoenendoos, hij ziet er vredig uit. Ties tekent met een paarse viltstift hartjes op de doos, terwijl ik de vacht van mijn kat van spiritus voorzie.

'Mag ik hem aansteken, buurman?'

'Weet je wat, ik laat jou dat gewoon doen, Ties. Ik vertrouw je. Ik leg straks de schoenendoos in het water en dan gooi jij een lucifer op Cobus, gesnopen?'

Ties knikt enthousiast en ik leg de doos in het water. Gelukkig, de kist blijft drijven, ik laat los en wacht op de vlammenzee.

'VET, kijk dan! We hebben gewoon een catamaran gebouwd,' roept Ties.

Ik pak de lucifers uit zijn handen en sprint als een bezetene naar de eerstvolgende brug. Cobus weegt natuurlijk geen ene drol, dus het is een nek-aan-nekrace. Concentreren James, dit kan jij, geen probleem, hoe hoog is dit bruggetje? Vier meter? Makkie! De aangestoken lucifer valt, tergend langzaam, Ties klapt, maar Cobus is nog niet aan het smeulen. De andere kant van de brug, snel! Midden in een sprong gooi ik het fikkende luciferhoutje van de brug. De tijd staat stil, Ties zit met een vinger in zijn neus, ik bid en sluit mijn ogen.

'JAAAAAAAA, buurman, wat een worp.' En inderdaad, Cobus staat in lichterlaaie. Aan de ene kant een macaber schouwspel, aan de andere kant zou ik zo ook wel willen gaan. In de Keizers-gracht of zo, rustend op een luchtbed dat Polly aansteekt met de suffe Zippo van haar nieuwe vriend. Een catastrofale catamaran, daar heeft iedereen toch recht op?

Door de rookwolk van Cobus lopen Ties en ik schouder aan schouder naar huis. Zijn moeder heeft pannenkoeken met kaas en spek voor ons gemaakt, ja, dat kan onze Lara wel. Ik zeg onze Lara omdat het zijn moeder is, natuurlijk, maar ook omdat ik met haar neuk. Ze lag te zonnen in de tuin. Een lichtgrijs broekje en een roze bikinitopje deden hun best haar zo goed mogelijk te bedekken, tevergeefs. Ze zoog plagerig aan een rietje, waarbij er af en toe een druppel frambozensiroop aan haar lippen ontsnap-te die langzaam in de richting van haar halfgebruinde boezem gleed. 'James, wat sta je nou te kijken, kom hier en geef mij een knuffel! Wat erg dat jullie uit elkaar zijn.' Ik liep op haar af en kroop in haar armen. Het begon als een vriendschappelijke knuf-fel, maar niet veel later drukte ze me zo hard tegen haar lichaam aan dat ik een hartslag in haar schaamlippen kon voelen kloppen. Natuurlijk had ik weg kunnen lopen, voor Ties, maar iedere man met hartzeer heeft recht op een bovengemiddelde rebound.

Lara is de belichaming van gerijpte perfectie, een ode aan de overgang en de moeder van Ties. Haar zoon heeft het syndroom van Asperger en dat is waarschijnlijk de enige reden waarom de mannen niet voor haar in de rij staan. Het is een schat van een jongen, hoor, maar het is overduidelijk dat hij van een andere planeet komt. Het enige waar hij echt graag over praat is dino-sauriërs, non-stop. Hij doet me vaak denken aan Ross uit *Friends*.

'Buurman, wist jij dat de Shonisaurus popularis nauw verwant is aan de Himalayasaurus? Zijn favoriete snack was pijlinktvis.' Ik heb een broertje dood aan dinosaurussen, ik heb sowieso weinig met de standaardinteresses van jongens/mannen. Auto's, tatoea-

35

ges, vrijmetselarij, rot toch op met die onzin. 'Wow, Ties, jij weet echt veel over uitgestorven zeereptielen, vertel nog eens over de Cymbospondylus.' Dan zie je hem helemaal opleven, schitterend om te zien, net als de lippen van zijn moeder om mijn lul, want zo bedankt Lara mij veelal voor mijn zorg en gespeelde interesse waar het prehistorische reigers aangaat.

Hoewel ik donders goed weet dat deze vorm tijdelijk is, geniet ik intens van de nachtelijke escapades met mijn buurvrouw. Grotendeels omdat ze, als ik mijn ogen dicht heb, heel erg op Polly lijkt. Ze is Polly light. Polly. Polly. Polly. Haar naam geeft mij nog steeds dat onsterfelijke gevoel, maar de flashbacks, die godverdomme flashbacks. Mijn hele leven bestaat uit sadomaso-chistische flashbacks naar tijden toen alles nog koek en ei was.

*

Hand in hand lopen we het gebouw binnen, ik moet mijn best doen om niet flauw te vallen. Terwijl we ons bij de balie melden kijk ik de wachtkamer rond om te zien of ik bekenden spot. Ik zie wat vrouwen, ik zie wat mannen en ik zie een koffiezetap-paraat. Uiteindelijk krijgen we allebei een nummertje: A125 en F413. Waarom heb ik een F? Staat dat ergens voor? En staat die A van Polly voor Aids? Ik word helemaal gek van de spanning, ze heeft het door en geeft mij een kus. Polly is zo speciaal en dat maakt mij alleen nog maar gekker. Wat als ik een soa heb? Ben ik dan nog wel zo leuk? Wil ze dan nog wel iets met mij? Kan ik een soa hebben en van wie? De seks verliep altijd wel veilig, maar ik ben er eentje van het beffen en dat kan haast niet veilig. Ja, beflapjes, maar kom op, die dingen zijn zo gemeen. Je weet toch wel, die stukjes plastic tussen plakjes vleeswaren? Stukjes plastic die ervoor moeten zorgen dat de plakjes boterhamworst niet aan elkaar blijven plakken. Als je die eens gaat likken, hè, zo voelt het precies. Dat is toch geen beffen meer? Natuurlijk weet ik zelf ook wel hoe dom dit overkomt, wel veilig vrijen maar niet veilig beffen, dat is zelfs zwaar vmbo. Veilig missionaris, beffen onveilig. Met mijn vingers voel ik wat aan mijn tong. 'Ziet mijn tong er gezond uit?' vraag ik bevreesd aan haar. Polly pakt mijn hand vast en geeft alle vijf de vingers een apart kusje.

Op de monitor voor ons passeren tientallen angstaanjagende feiten de revue, inclusief misselijkmakende foto's en accurate staafdiagrammen. Onvruchtbaar hier, erectiestoornis daar en als klap op de vuurpijl een strip over een genitale wrat die Walter heet. Walter de Wrat maakt veel avonturen mee. Zo vroeg zijn vrouw hem eens of hij op vakantie wilde en waar naartoe. Hij kon geen bestemming bedenken en toen stelde zijn vrouw Italië voor. Iedereen die Walter persoonlijk kent weet dat hij een hekel heeft aan pasta en mannen die dure haarproducten gebruiken. Walter antwoordde dus geïrriteerd: 'GEEN Italië!'

Ik neem wat slokjes water. Na de derde slok kijk ik naar het scherm waarop Walter net nog furore maakte, F413 is aan de beurt, o shit, ik ga dood! 'Sterkte schat, het komt allemaal goed,' zegt Polly op een manier waaruit blijkt dat ze het helemaal niet zo erg vindt dat ik als eerste aan de beurt ben. Met knikkende knieën loop ik naar een kamertje aan het einde van de gang, ik doe de deur open en aan de tafel zit een dokter van begin twintig. Iemand die net de baard in zijn keel heeft moet gaan checken of mijn kikkervisjes wel in orde zijn? Lekker dan. Ik geef de jonge arts, ongetwijfeld een stagiaire of zo, een ferme hand en stel me voor.

'James Worthy? Serieus? De schrijver van *Trammelant, de Beffende Specht*? In mijn studietijd heb ik mezelf suf gerukt met behulp van uw boek.' Na dit ietwat ongemakkelijke compliment vraagt de arts aan mij of ik erg zenuwachtig ben en met het zweet van mijn voorhoofd schrijf ik 'ja' op zijn tafel. Dan begint het echte werk, de dokter stelt drieënnegentig vragen over mijn seksleven. Doe ik het met mannen, doe ik het expres met mannen die seropositief zijn, doe ik het weleens onveilig, doe ik het weleens anaal, gebruik ik beflapjes als ik bef en heb ik ooit weleens gekozen voor permanente make-up? Na deze op het oog onnozele vragen tovert hij een naald uit zijn bureaula. Ik ben niet zo gek op naalden, naalden prikken en prikken doet au. 'Aangezien je je ook wilt laten testen op hiv en op het formulier hebt ingevuld dat je meedoet met een enquête van de gemeente Amsterdam, ga ik vier buisjes bloed van je afnemen.' Enquête van de gemeente Amsterdam? Godverdomme, ik moet echt wat zorgvuldiger gaan lezen.

De dokter komt steeds dichterbij met zijn naald. 'Kijk maar naar de muur, dat helpt.' Dus ik kijk naar de muur en zie allemaal hele leuke posters hangen over aids en dat junkies wel schone naalden moeten gebruiken. Fok dat, in plaats van naar de muur te kijken sluit ik mijn ogen. Een minuutje later open ik ze weer en zie een lachende dokter voor me. 'Jij bent echt bang voor naalden, hè? Met het zweet van mijn voorhoofd schrijf ik 'ja, als een malle, dat kan je toch wel zien?' op zijn tafel. Dan opeens kijk ik wat beter naar de buisjes bloed die voor mij op tafel staan. Er zitten belletjes in. 'Is dat goed? Belletjes in je bloed?' De dokter stelt mij gerust, althans tot het moment dat hij een wattenstaafje uit zijn bureaula tovert. Ik weet gelijk hoe laat het is en het lijdend voorwerp in mijn boxershort ook, die krimpt en blijft krimpen tot het formaatje peuter. Al die angst is natuurlijk best begrijpelijk, maar ik wil niet dat de dokter, een fan, in zijn lunchpauze grappig gaat lopen doen bij zijn collega's over de peuterpenis van die ene onsuccesvolle schrijver. Dus ik sluit opnieuw mijn ogen en probeer mezelf wat op te geilen, gewoon een beetje, een paar centimeter, niet te veel, want ik wil geen stijve krijgen in de nabijheid van een man. Ik trek mijn boxershort naar beneden op het moment dat ik in het bezit ben van een gemiddelde blanke penis.

'Je kunt je broek weer omhoog doen, hoor, ik loop je maar wat te stangen,' zegt de dokter met een guitige glimlach. 'Tegenwoordig hebben we genoeg aan een bekertje ochtendurine om mannen te testen op chlamydia.' Mijn plasgaatje haalt opgelucht adem. 'Het enige wat je nu nog hoeft te doen is plassen in dit bekertje.'

Met het plastieken bekertje in de hand loop ik naar het toilet. Het is een vreemd toilet, want de vrouwelijke klanten staan er ook allemaal, met hetzelfde bekertje. Daar ik nog een beetje wazig ben van al die liters bloed die ik ben verloren, besluit ik in een hoekje te gaan staan, met mijn rug naar al die vrouwen toe. Ik leg mijn penis, die nog steeds een glimlach draagt vanwege de gunstige en manvriendelijke nieuwe regelgeving, in het koude bekertje en plas. Niet veel later zit het bekertje vol, maar mijn handen en bepaalde delen van de vloer ook. Dat krijg je ervan als je te veel water drinkt. Ik loop met mijn bekertje langs de wachtende dames en zet het neer op de balie. Mijn naam en geboortedatum staan erop, maar toch vertrouw ik het niet helemaal. Straks pakt een gekke klant alle bekertjes, om er vervolgens alle deksels af te halen en overal een druppel van zijn plas in te laten vallen. Besmette urine, en dan krijg ik ondanks het feit dat ik geen soa heb toch weer zo'n setje pillen waar zwaarlijvige olifanten met gemak high van kunnen worden.

In de wachtkamer neem ik weer plaats op dezelfde plek. Polly zit er niet meer dus die zal nu wel met een ongemakkelijk gevoel in zo'n kamertje zitten. Ik ben zenuwachtig. Helemaal omdat ik de uitslag pas over een week krijg en niet via de telefoon of in een persoonlijk gesprek met mijn dokter, *nope*, ik moet het internet op. Van de arts heb ik een inlogcode en een wachtwoord gekregen en daarmee moet ik het doen, godverdomme, het is alsof ik weer op de universiteit zit met dat stomme Blackboard. Wat als ik die dag geen internet heb? Wat als een hacker met humor de soa-website hackt en iedereen syfilis besluit te geven? Het is ook zo onpersoonlijk en zonder enige vorm van mentale steun. Straks zit ik daar met mijn ontbijtje achter de computer, surf naar de site, tik de codes in en dan verschijnt er op mijn beeldscherm: 'U heeft hiv', dat is toch niet netjes? Als ik het heb dan wil ik het van een dokter horen, een dokter die niet weet hoe hij het moet zeggen, en dat ik dan ga huilen net als Tom Hanks die in die ene film te horen krijgt dat hij aids heeft. *You've Got Mail* of zo. O nee, in die film heeft ie Meg Ryan, dat is nog erger dan aids.

Niet veel later komt Polly weer naast me zitten, ik geef haar een knuffel en vraag hoe het is gegaan. 'Had jij ook dat akelige wattenstaafje, James?'

'Eh... Ja! Het was echt erg, net of je hete punaises plast,' zeg ik met een uitdrukking van pijn op mijn gezicht. Ik had natuurlijk ook de waarheid kunnen spreken, maar dat zou niet eerlijk zijn geweest. Samen uit, samen thuis, jij een wattenstaafje, ik een wattenstaafje. Die avond heb ik zelf maar een wattenstaafje in mijn plasgaatje gepropt. Waarom? Omdat ik een eerlijke kerel ben. Een eerlijke kerel die sindsdien met een ontstoken plasbuis rondloopt.

Uiteindelijk blijken we allebei met gezonde genitaliën rond te lopen en tijdens het eten valt het me op dat we allebei nog de pleister van vorige week op de binnenkant van onze arm hebben zitten. 'Zullen we ze eraf trekken? Jij doet die van mij en ik die van jou, tegelijk! Een, twee, auuuuuu fuck eee, waarom deed je het niet op de drie?' Ze lacht en ik besluit met haar te gaan stoeien. Van het stoeien worden we allebei zo opgewonden dat we geen andere optie zien dan nogmaals de liefde bedrijven. Nadien vraagt Polly aan mij of ik nog steeds van haar hou en met het zweet van mijn voorhoofd schrijf ik 'Iedere dag steeds een beetje meer' op de spiegel naast het bed.

4

'James, ik wil met je praten, mag ik naar huis komen?'

'Hoe bedoel je huis?'

'Dat ding waar wij twee fantastische jaren in hebben beleefd.'

'O, mijn huis. Ja, kom maar langs, Polly. Natuurlijk.'

Misschien wil ze me terug, waarom niet, ik heb immers een nieuwe broek én nieuwe schoenen. Die heb ik vorige week speciaal voor Polly gekocht. Donkerblauwe bordeelsluipers en een kaki corduroy broek. Ze vond mijn kledingstijl vroeger, over het algemeen genomen, infantiel. Nu ga ik haar dus proberen te overdonderen met klasse en raffinement. Jezus, wie hou ik nou voor de gek? Alsof een paar klompen van suède en de ribfluwelen broek van een boswachter haar onbuigzame aversie jegens mij kan doen knakken. Polly heeft niets tegen mijn garderobe, ze heeft iets tegen onze relatie, wat blijkbaar, ik weet het niet, een demonisch kankergezwel van een relatie was.

'James, we zijn perfect voor elkaar, maar niet voor onszelf,' zei ze glunderend in ons laatste tête-à-tête. Haar dumpspeech. Alsof ze blij was met die ene zin, zeg maar bijzonder trots op zo'n tegeltjestekst.

'Is zweverig taalgebruik belangrijker dan de reden waarom ik vanavond alleen slaap? Wat is jouw motief? Waarom steek je een nagenoeg foutloze relatie in de rug? Neuk ik je verkeerd? Ben ik niet succesvol genoeg? Vertrouw je me niet? Zeg iets, godverdomme, daar heb ik recht op.'

Polly ontweek oogcontact en kwam met de volgende shake-speariaanse woorden op de proppen: 'Het ligt niet aan jou, James. Het ligt aan mij. De fout ligt bij mij.'

'Is dat het? Serieus, Pol? Na alles wat ik je heb gegeven, na alles wat we hebben meegemaakt, serveer je me af met een cliché uit Amerikaanse sitcoms? Je haalt morgen al je spullen op, de hele pleurisbende, en daarna wil ik je nooit meer zien. *Happy Days!'*

Polly zit op de bank, ze ziet er mooi uit. Ze heeft zo'n hippiehaarbandje om haar hoofd, bij alle andere vrouwen vind ik dat dom staan, maar Polly lijkt door het kleurrijke bandje op Bo Derek. Een marineblauw truitje zit strak om haar imposante buste en op haar linkertiet zit een Afrikavormige broche. Met haar vuurrode lippen blaast ze in een mok muntthee, haar favoriet. 'Je ziet er goed uit, James. Leuk die schoenen en die broek. Hoe gaat het met je moeder?'

Wat een laffe vraag, zeg gewoon waarom je hier bent en rot dan weer op. Of trouw met me. 'Ja prima, druk op werk hè, je kent het. Alles goed met jouw moeder, Pol?'

'Die vermaakt zich wel, hoor, morgen beginnen haar clubjes weer, linedancen, klaverjassen, ze is nog steeds dol op gezelligheid.'

Wat een gelul, ik hoop dat je moeder morgen een scheenbeen breekt, de aan borrelnootjes verslaafde zeug. 'Goed om te horen, maar wat doe je hier eigenlijk, Polly? Wat wilde je bespreken? Wil je me terug? *Hahahaha*.'

Mijn voormalige droomvrouw kijkt bedrukt en gaat met haar handen door het haar, ze oogt onrustig. 'Nou James, het zit zo, ik heb iemand leren kennen. Een jongen, een man. Zijn naam is Pete en hij is een kunstenaar.'

Ik breng mijn theekop naar mijn mond zodat Polly niet kan

zien dat ik de woorden 'vieze vuile loopse kankerhoer' in mijn mangothee fluister. 'Nu al? Maar je wilde toch gewoon even vrij zijn, genieten, onafhankelijk zijn, met je vriendinnen de hort op, die *Thelma & Louise*-shit?'

'Niet dus, ik snap het ook niet, James.'

'Maar Pol, wat moet ik hier nou mee? Moet ik nu ook gaan zeggen wie ik allemaal heb geneukt? Ken je buurvrouw Lara nog, ik spuit al zeker twee weken mijn zak over haar borsten leeg. Wil je dat weten? Nee! Natuurlijk niet. Waarom doe je dit? Moet ik boos op je worden? Wil je dat ik je ga haten?'

Polly kijkt verrast. 'Heb jij Lara geneukt? Die met dat mongolenkind?'

Ik zucht. 'Ties is autistisch, geen kwijl, geen diepliggende ogen, hij is gewoon gek op domme dinosaurussen. Maar dit is ongelooflijk. Ik zou kogels voor je vangen en als je ooit onverhoopt borstkanker zou krijgen dan zou ik met alle liefde de kanker uit je borsten zuigen. Polly, ik zou zelfs naar Eindhoven verhuizen voor jou, geen probleem. Houdoe, alaaf, kedengkedeng, als ik maar bij jou ben. Jij bent mijn alles, Polly, begrijp dat dan, jij bent mijn Annie Hall.'

'After that, it got pretty late and we both had to go, but it was great seeing Annie again and I realized what a terrific person she was and how much fun it was just knowing her... and I thought of that old joke, you know, this guy goes to a psychiatrist and says, "Doc, uh, my brother's crazy, he thinks he's a chicken," and uh, the doctor says, "Well, why don't you turn him in?" And the guy says, "I would, but I need the eggs." Well, I guess that's pretty much how I feel about relationships.' Woody Allen en Diane Keaton in *Annie Hall*, zo hoort liefde te zijn. Klungelig, lief, onzeker, memorabel en zonder happy end. Liefde is je geheugen verafschuwen, liefde is nooit meer je ogen willen sluiten, liefde is Polly en een of andere Pete.

Prima, wat jij wilt, Polly, vanavond ga ik je studiegenootjes het bed in praten.

*

Ik ben lang niet in Paradiso geweest, grotendeels omdat het Amsterdamse uitgaanswereldje inhoudsloos, voorspelbaar en een kolos van een façade is. De gezichten veranderen nooit, de roddels veranderen nooit, de dj's veranderen nooit, alleen de drankprijs is wispelturig van aard. Maar goed, vanavond duiken mijn vrienden en ik de poel des verderfs in, baantjes trekken tot de zon opkomt. Jeff regelt de coke, Gunther regelt de drank, Skip vraagt onze favoriete platen aan bij de dj en ik, ik observeer. Het is een soort gave, ik kan aan een vrouw zien of ik een kans maak. Dat meisje bij de bar, kleinkunsthuppelkutje, navelpiercing, J. Loparfum, makkelijk! Dat vrouwtje op de dansvloer, die brunette die om de vijf seconden aan haar haar zit tijdens het dansen, twee complimentjes over haar prachtige sleutelbeenderen en ze laat zich vingeren op het balkon. Die corpulente bingomoeder met zweetlip, waar Skip zo mee loopt te flirten, die laat zich voor een medium bananenmilkshake gangbangen door de Hells Angels. 'Hé, jij bent James Worthy, toch? Je boeken zijn kut, maar die spleet tussen je tanden is schattig.'

Voor mijn neus staat een zoet Indonesisch meisje, 1 meter 50 met wielrenkuiten, een kangoeroebuikje en de tieten van een kampioen.

'Mijn boeken zijn kut? Net zo kut als jouw oorbellen? Wat zijn het eigenlijk? Lychees?'

Ze loopt boos weg, ik loop boos achter haar aan en pak haar vast bij de schouders. 'Hé wacht, sorry, het zijn hele mooie oorbellen. Heel exotisch en ja, mijn boeken zijn kut, maar wat wil je, mijn hele leven stelt geen kut voor.'

45

De dj draait ondertussen 'Silvia' van Miike Snow, mijn nummer, ik schreeuw 'BEDANKT SKIP!' en geef de kleine criticus een kus. Jeff propt nonchalant een envelopje wit in mijn linkerhand. 'Kom schat, wij moeten nodig even plassen.'

Op de achterkant van mijn telefoon liggen vier rommelige lijntjes. 'Lijntje links, lijntje rechts, kom op. Het is net Tetris, maar dan duurder,' zeg ik. De wc is vies en het licht is te fel, maar hierdoor zie ik wel hoe mooi haar ogen zijn. 'Wow kleine. Donkerbruin met kleine witte puntjes, je ogen lijken op Ferrero Rochers.'

Ze plaatst haar handen op de ondergekalkte deur en zegt: 'Waar wacht je op? Ik heb geen onderbroek meer aan, die ligt namelijk op je hoofd.' Ik denk aan Polly en Pete, mijn kopzorgen, en neuk het arme meisje een hersenschudding totdat ik een sms'je krijg van Gunther. 'Tequila bij de bar, nu!'

Opgefokt loop ik de trap op, ik wil die Pete zien en hem kreupel trappen. Nee, hij moet dood. Eigenlijk wil ik de gemeente Amsterdam alvast bellen om te zeggen dat ze zo'n lieveheersbeestjesstoeptegel klaar kunnen leggen. De bloedhond. In z'n skinnyjeans... ja, het is vast zo'n hippe flikker. Hoedje op, zelfgemaakt T-shirt, jarenzeventigkapsel. Hij speelt ongetwijfeld basgitaar in een Joy Division-coverband. Als ik hem zie maak ik hem dood, langzaam, maar dat kan altijd nog, nu eerst tequila.

Skip is totaal de weg kwijt, Jeff is spoorloos en Gunther wijst naar mijn hoofd. 'Je hebt een gele damesonderbroek op je hoofd.'

'*Fuck it*,' zeg ik en ik lik het zout van mijn hand. Skip komt naast me staan en legt zijn arm broederlijk om me heen: 'Jij en Polly, waar is het toch misgegaan, kerel? Nog nooit heb ik mensen zoveel van elkaar zien houden, zelfs mijn pa en ma niet. Ik zeg het je eerlijk, ik was soms jaloers op je, James.'

Ik geef Skip een kus op zijn voorhoofd. 'Lieve Skip, ik snap er zelf ook geen ene mallemoer van. Maar liefde is als een tube tandpasta. Een tube tandpasta is nooit leeg, nooit, maar na een tijdje hebben mensen gewoon geen zin meer om kracht te zetten.'

Bij de bar staat een vrouw met rode krullen, ze heeft een kolibrie van inkt op haar rechterpols en door haar onderlip zit een ringetje. Ik haat kolibries, het is de enige vogel ter wereld die achteruit kan vliegen en dat moet mij blijkbaar enorm imponeren of zo. Een glimmend zwart jurkje zit bijzonder strak om haar bilpartij. Het oogt allemaal zo goed als vacuüm verpakt en hierdoor kunnen de aanwezige lelijke vrouwen haar overduidelijk niet luchten. Het mysterieuze roodharige meisje maakt met behulp van wat vingers een 'v' en plaatst deze nonchalant tegen haar lippen. Of ze verlangt naar een sigaret of ze heeft zin in voorspel, het universele handgebaar voor 'sigaretje?' is naar mijn idee niet echt glashelder. Ze dartelt haastig over de dansvloer en ik volg enthousiast. Het scharlakenrode haar komt praktisch tot haar stuitje en ik besef opeens dat ik nog nooit een roodharige vrouw heb gehad. Ik heb ze wel altijd aantrekkelijk gevonden, maar roodharige vrouwen hebben iets onheilspellends. In mijn jeugd had je twee roodharige tv-personages: de onhandige kat van Gargamel, Azraël, en het aan drugs verslaafde weeskindje Pippi Langkous. Niet echt de meest ideale uithangborden voor de haarkleur die al net zo populair was als spinazie. Natuurlijk deed Popeye wel zijn best voor de snelgroeiende bladgroente, maar ik weigerde in die tijd ook maar iets aan te nemen van een zeeman die verliefd is op de allereerste anorexiepatiënt ooit. Rood is en blijft gewoon een hele tegenstrijdige kleur. Het is de kleur van de liefde, maar tegelijkertijd is het de kleur van stilstand. Het is de kleur van mijn favoriete voetbalclub, maar het is ook de kleur van een pak karnemelk of een reep pure chocolade. Rood is grillig, onbetrouwbaar, gevaarlijk en misschien daarom zo verdomd verleidelijk.

47

De rookruimte staat blauw, ze staart naar mijn glazen bier. 'Waarom heb je eigenlijk twee biertjes in je handen en waarom is de een groter dan de ander?'

'Ik kan nu gaan beweren dat het een reden heeft en dat ik het "Matroesjka"-biertjes noem. Dit omdat als het grote glas leeg is, ik de volle kleine in zijn geheel in de grote overgiet, maar dat is niet zo. Ik ben gewoon een ordinaire zuiplap.'

Gewapend met een stoïcijnse blik neemt ze nog een slok van haar witte wijn. 'Misschien klinkt het raar, maar ik heb zojuist besloten dat wij straks gaan neuken.'

'Vanwaar die haast? Ik ken je net vijftien minuten, en oké, in mijn hoofd heb ik je al meer dan twintig keer geneukt, maar jij bent zo'n zeldzaam mooie vrouw voor wie mannen met alle liefde hun zaad een paar dagen willen opsparen. Niet dat ik niet aan je ketchuprode haar wil trekken en mijn levensmayo over je onderrug wil zien vloeien, maar nog voor het bereiden van die ietwat simpele cocktailsaus wil ik je wat beter leren kennen.'

Ze kijkt bedenkelijk. 'Ik wist het wel, jij bent zo'n Grote Smurf-man.'

'Pardon?'

'Niet veel mensen weten dat Smurfin oorspronkelijk een product van Gargamel was, een valstrik op hakjes, maar Grote Smurf heeft met al zijn goedheid en liefde een normale smurf van Smurfin weten te maken.'

Ik lach. 'Misschien heb je wel gelijk, ik ben een expert in het onschadelijk maken van seksbommen. Van die bommen maak ik een tostiapparaat en niet veel later neuk ik het tostiapparaat kapot.'

Ze glimlacht. 'Jij bent een heel rare, zorgwekkende man.'

'Jij bent een heel rare, zorgwekkende vrouw.'

'Precies en daarom gaan wij straks heel rare, zorgwekkende seks hebben.'

Normaliter ben ik niet zo van het zoenen op de dansvloer, althans niet gratis. Niet dat ik een gigolo ben, maar let maar eens goed op: als twee mensen innig op de dansvloer staan te zoenen besluiten veel hopeloze niet-zoeners dat het tijd is voor een sterk drankje. De baromzet stijgt aanzienlijk dankzij onze lippen, waardoor wij, de zoeners, recht hebben op minimaal 10%. Wijlen Arne Jansen had het er in zijn grootste hit al herhaaldelijk over, maar zijn zoetsappige *Avrobode*-ode komt niet eens in de buurt van hoe deze roodharige vrouw zoent. Mijn huidige danspartner is letterlijk mijn gezicht aan het pijpen. Het is dierlijk, het is schaamteloos en het is bijzonder verfrissend in een tijd waarin de minimalistische filmkus hoogtijdagen viert. Ik zal nog vaak horen dat onze manier van zoenen iets weg had van weerwolvenporno.

Volle maan of niet, ik wil ieder sproetje op haar lelieblanke lichaam likken en dan kan die taxichauffeur wel afkeurend naar mij kijken, deze roodharige heeft mij gewoonweg in haar greep. Ze hoeft mij maar aan te kijken of ik krijg het warm. Ze stapt uit terwijl ik de taxichauffeur betaal, hij kijkt overstuur. 'Ik zou het niet doen als ik jou was. In mijn land heb je een gezegde: als je sekst met de duivel zit er altijd wel een vork in de weg.'

'Heb je wel gezien hoe mooi ze is? Rode krullen en honingsproetjes. Die sproetjes, sodeju, het is net confetti, alsof haar neus jarig is.'

Ze loopt voor mij de trap op, ik kan haar onderbroek zien. 'Ik kan je onderbroek zien!' Ze draait zich om en ploft neer op de trap. Nog geen vier tellen later sta ik met haar onderbroek in mijn handen, ze staat op en loopt verder naar boven. 'Ik kan je kut zien!' Haar meisjesachtige gegiechel is het startschot voor ongenegeerde en kronkelige trappenhuisseks. Ze kreunt veel te hard, maar het kan me niets schelen. Fok de buren, fok iedereen, fok Polly. 'Wow, onze eerste keer lijkt op een prent van M.C. Escher,' fluister ik hijgerig in haar oor.

We liggen met onze neuzen tegen elkaar aan in mijn onopgemaakte bed. De regen klettert tegen het dakraam. Spijkerhard, alsof de waterkoude druppels er alles aan doen om onze lichamen te bereiken. Haar vingers gaan door mijn borsthaar en ik schaats met mijn vingertoppen van gladde bil naar gladde bil. De waxinelichtjes doen hun werk, mijn slaapkamermuren golven. Buitengewoon romantisch, maar mijn arme kat mist inmiddels wel een aantal essentiële snorharen. Ze bijt zachtjes op mijn onderlip terwijl ik haar enter. Ik wil haar lichaam plunderen, alles meenemen en dan samen weer alles opbouwen. Dit is liefde, ik zie het in haar ogen na iedere stoot. Zij zorgt voor mij als ik oud, dik en lelijk ben en ik, ik begin zelfs al te wennen aan die domme kolibrietatoeage.

De onophoudelijke stem in mijn hoofd is het er niet mee eens. Ik zoek geen vrouw voor het leven, ik zoek tijdelijke tederheid. Mijn hartstochten zijn geen marathons, het zijn vluchtige sprintjes. Ik hou van haar, maar tot wanneer? Vrouwen zijn een canvas, ik spuit ze vol met intieme ontmoetingen en diepe gesprekken, maar na een tijdje is het doek gewoon compleet. Begrijp me niet verkeerd, ik geloof in de eeuwige liefde, maar ik geloof meer in de aanpak van wijlen Gainsbourg. Serge deed het in zijn tijd alleen maar met adembenemende schepsels: Jane Birkin, Juliette Gréco, Brigitte Bardot, godverdomme, iedere man heeft recht op zo'n lijstje. Monogamie is een wonderschoon iets, blijf vooral veertig jaar samen, maar ik begin steeds meer te geloven dat er altijd wel een leukere vrouw rondloopt. Ergens in een rokerige kroeg zit de hedendaagse Brigitte Bardot op je te wachten. Maar misschien ben ik ook wel gewoon een onnozele dromer en moet ik deze toenemende rusteloosheid negeren, want als ik naar die stem blijf luisteren zal geen enkele vrouw ooit volstaan. Dan zal ik door tramruiten en brievenbussen blijven turen, op zoek naar Polly.

We hebben zojuist twee keer de liefde bedreven. Ze is volmaakt, ze is warmzalig. De zweetdruppels branden in mijn ogen, maar het vuur is nog lang niet gedoofd. Ik kruip tegen haar aan en stel voor dat we synchroon gaan masturberen. Puur als toetje, de kers op de taart. Ze stopt twee vingers in mijn mond en spuugt tegelijkertijd in mijn rechterhand, niet veel later liggen we bijna in elkaar. Onze wimpers spelen tikkertje en haar vingers spelen verstoppertje in de regen. Ik wacht, ik kom, nee, ik wacht.

'James, ik kom echt bijna, laten we samen komen,' zegt ze zwoegend.

'Tel maar af,' zeg ik vastberaden. 10, 9, 8, 7, 6, 5, 4, 3, 2, 1, ze kronkelt, ze komt haast kalligrafisch. Mijn oerkreet is teugelloos, ik plastificeer mijn onderbuik en probeer tegelijkertijd de kramp in mijn linkerkuit weg te wuiven. Dit is liefde, ik wil met haar vader gaan vissen. Die belachelijk saaie lul zit vast in de zonwering- en rolluikenbusiness of zo. Ach, wat die man ook doet, hij zal altijd in de schaduw van zijn stralende dochter staan.

'Dat aftellen? Doe je dat vaker?' vraagt ze.

'Dat aftellen doe ik al tien jaar. In de zomer van 2000 las ik ergens dat je minder kans op prostaatkanker hebt als je twee keer per week masturbeert. Ik ruk zo'n twintig keer per week en dat maakt mij naar alle waarschijnlijkheid onsterfelijk. Wil je met me trouwen?'

Nee, ik wil niet trouwen. Alleen zijn is mijn ding, dit is het leven van een schrijver. Drank, mentholsigaretten, losbandigheid, onzekerheid en zelfmedelijden. Ik heb al twee weken geen wc-papier in huis en mijn koelkast is leeg, pijn en leegte zijn mijn katalysatoren. Daarnaast zijn vrouwen net als humor. Maak een goede grap en er zullen vijftig mensen lachen, maak er nog een en het zijn er honderd, maar maak je daarna een slechte grap, tja, dan mopperen er opeens vierhonderd. Mensen wachten altijd op een fout. Nogmaals, ik hoef geen vrouw voor het leven. Geef mij iedere maand een andere schoonheid en ik ben tevreden. Iemand die ik kan meenemen naar familiebijeenkomsten. 'O, die James is nog steeds niet getrouwd, zijn arme moeder zit vast op klein- kinderen te wachten.' Rot op, tante Karnemelk-kut, ik bemin de mooiste vrouwen van Amsterdam en omstreken. Dat is mijn mis- sie, ik ben op deze wereld gezet, à la Gainsbourg, om vrouwen te vertellen hoe ongeëvenaard geweldig ze wel niet voor heel even- tjes zijn.

Ik ken haar net, maar ik hou van deze vrouw, morgenochtend ga ik toiletpapier voor haar halen. De stem is het er niet mee eens, want ze is geen Polly. Ik kruip tegen haar aan en kus haar voorhoofd. Ze ligt vredig te slapen, ik sluit mijn ogen. De on- ophoudelijke stem begint af te tellen. 10, 9, 8, 7, 6, 5, 4, 3, 2, 1. Polly, ik kom nu naar je toe.

5

Polly doet de deur open in mijn badjas, het is halfvijf in de ochtend dus ze kijkt verre van tevreden.

'Ik heb net een kolibrie geneukt.'

Ze zucht.

'Ja nee, ik bedoel, ik snap je nu. In onze relatie zocht jij altijd naar vooruitgang terwijl ik steevast achteruit fladderde. Polly, ik ben een kolibrie.'

Ze zucht nog een keer.

'James, je bent een schijtlijster. Laat me met rust, ik wil je vergeten.'

Inmiddels staat Pete achter haar. Hij krabt aan zijn ballen en heeft zijn t-shirt verkeerd om aan. Wat een ongelooflijk domme lul. Oké, ik heb een bierbuik, mijn haar wordt steeds dunner en mijn persoonlijke hygiëne laat de laatste tijd te wensen over, maar Pete slaat alles. 'Ik ga wel even peuken halen bij het tankstation. James, ga je mee?' vraagt de slaap uit zijn ogen wrijvende miskraam van een vent. Hij plukt een lange jas van de kapstok, trekt een paar afgetrapte cowboylaarzen aan en stapt de Amsterdamse ochtend in.

'Moet je geen broek aan of zo?' vraag ik, terwijl ik Polly vol ongeloof aangaap.

'Zo is Pete, hij heeft maling aan alles. Heerlijk toch?' zegt ze lachend.

Ik pak zijn arm en vraag aan hem of hij nog zo'n lange jas aan de kapstok heeft hangen. Hij knikt, ik trek mijn broek uit.

Als twee volleerde potloodventers lopen Pete en ik door een broeierig Amsterdam. Een vadsige Duitse toerist kotst in de gracht, politiebusjes rijden af en aan, terwijl het tuig van de richel probeert te ontkomen door op een uitgekookte manier achter bomen te schuilen. De ontwakende zon gebruikt het IJ als spiegel, de maan ligt voor Pampus. Amsterdam is op dit soort momenten op haar mooist, alleen jammer dat de mensen rond dit tijdstip op hun lelijkst zijn. Een reiger in een half gezonken roeibootje spreidt trots de vleugels, ik wil hem bedanken voor het schouwspel en schop mijn suikervrije kauwgom in zijn richting.

'Haat je mij?' vraagt Pete weifelend.

Ik aai hem over zijn bol. 'Ja, ik haat je. Het liefst zou ik je hier ter plekke willen neersteken met een schroevendraaier. Diep in de halsslagader, verrukkelijk. Maar beste Pete, ik haat mezelf nog veel meer. Jij hebt Polly niet van me afgepakt, ik heb haar weggejaagd.'

Om en nabij het Scheepvaartmuseum spot ik twee aan lagerwal geraakte types, van die voortandmissende aderzoekers. Eentje komt me bekend voor, hem heb ik twee weken geleden nog vijftig cent gegeven omdat hij zo nodig zijn dealer moest bellen. De ander, die in verregaande staat van ontbinding lijkt te verkeren, kijkt ons strak aan en heeft een verroest fietsslot in zijn handen.

'Hebben jullie misschien wat kleingeld voor ons?'

Ik geef junks altijd wel een kleinigheidje en niet zozeer omdat ik hun levensstijl support, maar van een tevreden junk heb je gewoon minder last. Een tevreden junk gaat naar een rustig plekje, zoekt een ader in een van zijn schriele armpjes en is voor korte tijd een content medemens. Een ontevreden junk daarentegen valt uit pure wanhoop onschuldige voorbijgangers in lange jassen aan met een fietsslot. Mijn humeur is niet al te best. Ik draag geen broek en ik loop godverdomme door de stad met de man die onkuise dingen met de liefde van mijn leven doet.

'Hij heeft geen geld en ik heb geen geld. Dan kan je gaan lopen zwaaien met je volgroeide cijferslotje, maar we zijn echt niet bang. Kijk hoe dun je compagnon is, hebben jullie *The Machinist* gezien? Nee, natuurlijk niet, jullie zijn kansloze teringjunks. Maar die makker van je lijkt op een reiger. Die beesten staan ook de hele dag in hun eigen urine te niksen, met die ontvleesde kippenpootjes en dolkvormige tbc-snavels. Dus kom maar op, laten we matten, ik breek die meelijwekkende speldenkussenarmpjes in tweeën.'

De lepelsmelters glimlachen, ik begrijp niet waarom. Totdat ik omkijk en Pete aan de overkant van de straat zie rennen. Zijn lange jas wappert als een cape, wat een held. Niet veel later kus ik het trottoir, zo'n fietsslot komt harder aan dan je denkt.

Onze Pete is dus geen vechtersjas, maar waarom draagt die eikel dan cowboylaarzen? Cowboys vluchten niet, die kukelen een lasso om de 'slechterik', schieten zes kogels door zijn donder en steken daarna, terwijl diens moeder lekker ligt te slapen, de wigwam in de fik. Inmiddels lopen de twee junks al een tijdje op me in te trappen, ze hebben niet al te veel kracht, maar het is ook geen Thaise massage of zo. Ik lach. 'Wat is dit voor mietjesgedoe? Als mijn vader keihard ligt te snurken hè, dan slaat mijn moeder hem af en toe, dat doen alle vrouwen. Mijn moeder is bijna zestig en ze slaat op die momenten harder dan jullie nu trappen.' Er begint een malicieus vuurtje in de ogen van de verslaafden te branden, de dunne neemt nu zelfs een aanloop voor iedere karateschop. De andere kijkt rustig toe en maakt een boksbeugel van het fietsslot. Een zilverkleurig taxibusje raast voorbij, een scooter claxonneert drie keer, maar niemand stopt. Mijn broekloosheid zal daar grotendeels verantwoordelijk voor zijn. Ze zien me aan voor een pedofiele potloodventer, een kleurpotloodventer, die iedere ochtend, met behulp van een eierschilderset, zijn lid van een mooi kleurtje voorziet. Met die regenbooglul, een bungelende Bruynzeel, trekt hij langs de hoofdstedelijke schoolpleinen en speeltuinen. Het is dus vrij logisch dat niemand stopt. Fietsslot gaat door zijn knieën en stopt een sigaret tussen mijn lippen. 'Je laatste sigaretje ooit, jongen, geniet er maar van.' Nicotine doet me weinig, maar ik ben dol op die waas voor mijn ogen. Het leven is minder lelijk van achter een rookgordijn. Bovendien kon Polly altijd erg genieten van mijn manier van roken. Ze eiste ook altijd dat ik de rook in haar gezicht uitblies, beginnend bij haar voorhoofd en eindigend bij haar lippen. Het was een spiritueel ritueel, mijn kankerverwekkende dekentje over haar tere engelengezicht.

De junks staan naast me, ik druk de peuk uit op een schoen van de linker. Daar komen de klappen, heerlijk, kom maar op. Ik wil wankelen op het randje van de dood. Stomp mijn lichten uit, doe het! Ik wil dat Polly mij uit een coma kust.

Met mijn ogen gefixeerd op de maan probeer ik de pijn te verbijten. Mijn botten verbrijzelen, ik voel de splinters, mijn gezicht ligt open, ik proef bloed. De maan wordt steeds kleiner en waziger. De razernij van de junks maakt van een hemellichaam een nietig koelkastlampje. Bij iedere klap gaat de koelkastdeur een beetje dichter, ik slik een voortand door. Ik zie alleen nog een dichte koelkast. Op de deur prijkt een recept, Polly's koude pastasalade. Daarnaast hangen een Post-it en een koelkastmagneet in de vorm van een hamburger. Het gele papiertje staat vol hartjes, in de hartjeszee zwemmen twee namen in het favoriete handschrift van mijn favoriete meisje: Polly hartje James. Plotseling beginnen de letters, zoals op de borden van de NS, om te klappen. Polly en hartje blijven staan, alleen de eindbestemming verandert. Pete? Godverdomme, doe mij dan maar een enkeltje hel.

*

De stem van mijn moeder vult de kamer, ze snikt en vraagt aan mijn vader waar ik toch in hemelsnaam mee bezig ben.

'Het ziet ernaar uit dat onze jongen er geen zin meer in heeft,' mompelt pa.

'Kijk naar hem! Arme James. Een gebroken neus, drie gebroken ribben, een ingeklapte long en een hersenschudding.' Ze barst in tranen uit.

'Dan zie ik er eindelijk precies uit hoe ik me voel,' zeg ik lachend, terwijl ik mijn ogen langzaam open. 'Ma, heb je deodorant bij je? Of van die eau-de-colognedoekjes?'

De geur in ziekenhuizen, een potpourri van rottende bejaarden, spruitjes, een biologielokaal, gymschoenen en leegte. Niet echt materiaal om in een flesje te stoppen en te verkopen aan parfumeries, maar ziekenhuizen horen ook niet lekker te ruiken. Bloemen horen lekker te ruiken, vrouwen horen lekker te ruiken, eten hoort lekker te ruiken. Maar het gebouw waarin je benen geamputeerd worden en je ballen worden bestraald hoeft niet per se lekker te ruiken. Een verpleegster komt binnen met het ontbijt, terwijl mijn moeder haar ogen droog veegt met de rechtermouw van haar favoriete wollen trui.

De dienstdoende verpleegster is een opwindende verschijning. Mijn long mag dan wel ingeklapt zijn, onder de maagdelijk witte ziekenhuisdekens voel ik een ander orgaan uitklappen. Gelukkig, mijn tuinmeubilair werkt nog. Heuglijk nieuws, helaas zitten mijn ontredderde ouders naast mijn verstelbare bed. Ik geef mijn geilheid een harde duw, de rood aangelopen stakker ploft neer in de brandnetels en verdwijnt onmiddellijk.

Naast mijn bed staat een fruitmand, ongetwijfeld een presentje van mijn moeder. Op de doorzichtige verpakking zit een sticker, het plakkertje vertelt ons dat we te maken hebben met de Fruitmand Super de Luxe. In de statige mand liggen tientallen glimmende stukken fruit met elkaar te flirten, het is één grote en sappige vitamineorgie. Een walnoot, overduidelijk verdwaald, ligt ongemakkelijk tussen een kiwi en een rijpe mango. De zuster kijkt naar het fruit en trakteert mijn vader op een ondeugende glimlach voordat ze een witte druif in haar mond stopt. Ze zuigt op de druif, terwijl ze mijn longdrainage checkt.

'Ziet er allemaal goed uit, hoor, meneer Worthy, heeft u veel pijn?'

'Ik voel me prima.'

'Eerlijk zijn, James, niet liegen tegen verpleegsters, daar ben je nu toch echt te oud voor,' kakelt mijn moeder, terwijl ze afkeurend naar mijn veel te lange teennagels kijkt.

'Beetje kortademig, dat wel, maar voor de rest valt het allemaal reuze mee. Ik heb alleen nog wel een vraagje. Waarom ben je nu al zeker twintig seconden op een druif aan het zuigen?' De verpleegster lacht, ze lacht als een Suzanne. Er ontstaan diepe kuiltjes in haar wangen, alsof ze opeens over kieuwen beschikt.

'Nou, het gevoel van een openbarstende druif in mijn mond, ik kan daar niet zo goed tegen. Heb je ooit weleens het hoofdje van een pasgeboren baby tussen liftdeuren gelegd? Vast niet. Ik trouwens ook niet, maar dat voel ik dus als ik op een druif bijt.'

De ogen van mijn moeder regenen teleurstelling, dikke druppels verdriet rollen langs haar wangen en in haar mond waait een wanhopige preek die nimmer zal gaan liggen. Ze is door mijn miserabele leven en de ontelbare mislukkingen veranderd in de herfst.

'Komt dit allemaal door die Polly? Is dat wispelturige tutje, dat ontevreden kind, echt verantwoordelijk voor jouw ondergang?'

Ik zucht geïrriteerd. 'Niet doen, ma, alsjeblieft. Het is niet haar schuld. Ik kan simpelweg niet zonder haar leven, maar zij overduidelijk wel zonder mij. Jullie zoon is een wrak. Ik ruik haar in mijn baard en koester de lange bruine haren in mijn wasbak, godverdomme. Ik neuk alleen nog maar met vrouwen die ik tijdens de daad Polly mag noemen. Het is allemaal zo in- en intriest. Op mijn telefoon heb ik een filmpje van haar, het is niet eens een speciaal filmpje. We fietsen, althans Polly fietst en ik zit achterop. Ik film haar terwijl we langs de Amstel fietsen, in de buurt van Carré. Ze lacht, ze is gelukkig, ze is van mij. Dan vraagt ze opeens, uit het niets, of ik van haar hou en hoeveel. Dat filmpje kijk ik iedere nacht voor het slapengaan, zodat we in mijn dromen nog wel samen zijn.'

De verpleegster pakt nog een druif uit de mand. 'James, mag ik je James noemen? Wat was je antwoord op die vraag?'

'Of ik van haar hield en hoeveel? We kwamen terug van een feestje, ik was aangeschoten, dus het was meer een liedje dan een antwoord. Het ging zo: "Ik hou van jou, als je lacht als je snikt, ik hou van jou als een neger van kip. Ik hou van jou, hoeveel? Zoveel! Dat keer tien en dan tweemaal zoveel."'

6

De goudgele blaadjes dwarrelen doelloos door de mooiste straat van Amsterdam. De Henri Polaklaan. Hier wil ik wonen als ik weer gelukkig ben. Mijn horloge geeft aan dat het tien over negen is, ik ben dus al tien minuten te laat voor werk. Onsuccesvolle schrijvers kunnen niet leven van de boeken alleen, vandaar dat ik naast het schrijven van flops ook foto's in Artis maak. Die bodywarmerdragende blaag, die opdringerige 'Zal ik een foto van jullie maken?'-schlemiel, dat ben ik. Twee dagen in de week maak ik foto's van dagjesmensen, scholieren, verliefde stelletjes en toeristen. De foto's kosten acht euro per stuk, maar als je wilt kan ik er, voor de helft van de prijs, een kekke sleutelhanger van maken. 'Ga daar maar staan, ja, voor de dromedarissen. Iets meer naar rechts, perfect zo. Wow, jullie zijn echt een gezellig stel. Apeldoorn was het, hè? Nog eentje, hoor. Ik moet die matchende buideltasjes gewoon even vastleggen.'

Een paar uur later staan ze dan weer voor mijn houten huisje, nog helemaal extatisch van de zeeleeuwen en pinguïns. 'Meneer de fotograaf, volgens mij mis ik een arm.'

'Moet ik de verbandtrommel voor u pakken?'

'Nee, de foto, ik mis een arm op de foto. Wat bent u voor enge amputerende fotograaf?'

'Mijn kleinkind zat op mijn nek, ziet u dat, kunt u mij vertellen waarom kleine Oscar zijn hoofd mist?'

'Heeft zijn moeder misschien jointjes gerookt tijdens de zwangerschap? Ja, nee, sorry, ik ben een waardeloze fotograaf. Hier heeft u een gratis foto en vier gratis sleutelhangers.'

Mijn zinderende carrière als dierentuinfotograaf begon ooit tijdens een ruzie met Polly. We stonden samen onder de douche en ze ergerde zich aan mij. Haar wenkbrauwen bivakkeerden haast onder haar ogen.

'Wat is er, lief?' vroeg ik, terwijl ik een hartje op de douchedeur tekende met mijn halfslappe zeepsoplul.

'Waarom moet je zo vaak spugen onder de douche? Ik vind dat echt heel smerig, James.'

'Ja hallo, wie stond er net doodleuk tegen mijn been aan te urineren? Ik spuug douchewater altijd uit, dat weet je nu toch wel? Het is te warm, ik vind het goor.'

Polly veegde de hartjes van de douchedeur met haar favoriete washandje.

'James, jij bent zo egoïstisch. Je doet gewoon wat je wilt, altijd, wanneer is de laatste keer dat je iets voor een ander hebt gedaan?'

'Ik heb net jouw harige holbewonerrug ingesmeerd, maar serieus Pol, gaan we onze dag nu echt beginnen met stampei onder een stortbad? Een schermutseling terwijl jij je muts scheert? Kom, laten we even gaan zitten.' Ze was dol op zittend douchen, dan waande ze zich een auto in een autowasstraat.

'James, ik ben serieus, hoor. Je moet wat meer overhebben voor de mensen om je heen. Kijk eens naar je moeder. Zij gaat iedere week naar Artis met haar dementerende moeder en met dat ene mongooltje van om de hoek. Waarom doe jij dat nooit? Dan heeft zij ook eens een dagje vrij.'

'Prima, als jij dat wilt, dan doe ik dat. Ik bel ze vanmiddag wel. Maar Pol, ik heb vandaag een bijzonder stressvolle dag, praten met de uitgever en zo, wil je me even pijpen?'

'Geen zin in, maar ik trek je wel even af.'

De daaropvolgende woensdag stond ik hand in hand met oma voor Arend-Jan zijn deur. Terwijl ik aanbelde dacht ik aan het moment waarop de ouders van mijn met downsyndroom levende buurman hem een naam gaven. Een kind met een handicap is natuurlijk nooit echt blits, maar geef hem dan in ieder geval een beetje een vlotte naam. Arend-Jan is namelijk gewoon echt een mongolennaam, noem hem dan Dwight, Don of Wayne. Om mijn ongenoegen wat betreft de naamkeuze van de ouders wat kracht bij te zetten noem ik Arend-Jan ook nooit Arend-Jan, maar A.J.

De moeder van A.J. deed de deur open en keek ons met een verbaasde en vragende blik aan. 'Waar is je moeder?' vroeg ze.

'Thuis!' zei ik.

'Dood!' zei mijn oma.

Na een lang gesprek over voorzichtigheid, onoplettendheid en zorgvuldigheid riep ze dan eindelijk Arend-Jan. Zwaaiend met een zwaard van plastic rende hij als een echte Dzjengis Khan door de gang van het rommelig ogende huis. Zijn moeder pakte het zwaard af en ritste liefdevol zijn vlekkerige jas dicht.

In de tram probeerde ik, naïef als ik ben, een gesprek op gang te brengen, een gesprek over lievelingsdieren. Maar mijn oma lag te slapen en A.J. was druk bezig met het verorberen van mijn strippenkaart. Hij deed me denken aan mijn lievelingsdier. Nijlpaarden zijn niet de meest sierlijke dieren op deze aardbol, maar toch hebben ze iets liefs. Als je ze dan toch boos maakt dan weet je binnen de kortste keren dat ze veel sterker zijn dan jij.

Zachtjes tikte ik op mijn oma's schouder om haar te doen ontwaken uit haar middagdutje. Ze keek me aan met een blik die aangaf dat ze het ongemakkelijk vond. Dat gevoel deelde ik. Twintig jaar geleden nam oma mij mee naar Artis, deze dag nam ik oma mee naar Artis.

Samen stapten we uit de tram terwijl A.J. in de tram bleef zitten.

'Kom je nog, mongool?' riep ik en met een grote glimlach op zijn smoel sprong hij uit de tram.

'Zal ik een foto van jullie maken?' vroeg een loopse biologie-studente toen we door de ingang liepen.

'Alleen als je hem ook zelf gaat betalen,' zei ik.

Achteraf heb ik er enorm veel spijt van dat we niet op de foto zijn gegaan, want de kans dat ik ooit nog eens op een groepsfoto sta waarop ik niet de lelijkste gozer ben is nihil. Oma moest plassen en A.J. wilde gelijk naar de apenrots. Dus nam ik ze allebei mee naar het vrouwentoilet, waar ik oma moest helpen met plassen. Aangezien oma niet met een open deur kan plassen moest ik mondeling contact houden met de mongool.

'A.J.?'

'A.J.?'

'Jaaaaaaaaa!'

'A.J.?'

'Jaaaaaaaaaa!'

'A.J.?'

'Jaaaaaaaaa!'

Dit deed ik zo'n twintig keer, terwijl ik mijn grootmoeder stond te deppen. Toen mijn oma klaar was deed ik de deur open en was erg blij te zien dat A.J. nog steeds in het vrouwentoilet aanwezig was. Het leek alsof hij netjes zijn handen stond te wassen bij de wastafels.

'MONGOOOOOOOOOL! Wat doe je nou?'

A.J. stond lachend te plassen in de wasbak.

Na de perikelen in het damestoilet liepen we hand in hand richting de apenrots. A.J.'s hand voelde voor een paar minuten nog warm aan.

Na de apenrots was het de beurt aan de kinderboerderij. De

geiten, konijnen, bokken, kippen, eenden, varkens en verdwaalde Amsterdamse duiven stonden al klaar en konden niet wachten om onze kleren te vernielen. Ik liep naar een klein lammetje toe en dit begon al snel ongegeneerd aan de mouw van mijn jasje te sabbelen. Toen ik het vacuümzuigende schepsel een klap wilde geven, hoorde ik plotseling een ringtoon over de boerderij galmen. A.J. graaide in zijn veel te krappe broekzak en haalde er een mobiele telefoon uit. Met één druk op de knop snoerde hij de mond van 'Op een onbewoond eiland' en kon de in overvloed aanwezige fauna de poten en hoefjes weer uit de oren halen. Na wat onverstaanbare lettercombinaties aangehoord te hebben pakte ik de telefoon van A.J. over en vroeg beleefd wie ik aan de andere kant van de lijn had. Het bleek, hoe kon het ook anders, zijn moeder te zijn. 'Gedraagt Arend-Jan zich een beetje? Zijn zijn kaplaarzen al erg smerig?'

Na de dierentuin wilde ik wat gaan eten en vroeg het tweetal waar ze trek in hadden. Oma had trek in een kindermenu en A.J. wilde pannenkoeken. Uiteindelijk belandden we in een knus falafeltentje met Arabische muziek, waar A.J. gek genoeg alle teksten van mee wist te zingen. Oma was minder vrolijk aangezien ze geen appelmoes bij haar gefrituurde kikkererwten kreeg en wilde pas een hapje van haar broodje nemen toen ik haar ervan had overtuigd dat er gewoon bitterballen in zaten. Ondertussen had A.J. zijn neus in de knoflooksaus gedompeld en zong hij de begintune van *Bassie en Adriaan*. Ik dompelde mijn neus in de zigeunersaus, die telkens ergens anders op tafel stond, en zong gezellig mee met A.J. Oma wilde ook wel meezingen, maar ze kon niet op de tekst komen en keek daardoor een beetje verdrietig uit haar ogen. Tijd voor een mop dus, eentje die ze al honderden keren gehoord had.

Oma vond hem weer hilarisch, haar schouders schokten nog hevig toen ik haar in haar jas hielp.

Het was al een beetje donker toen we het etablissement verlieten en richting de tramhalte liepen. Oma en A.J. liepen hand in hand en hoe onschuldig het ook leek, ik besloot toch maar tussen ze in te lopen. Mongolen denken vast ook weleens aan seks, maar het leek me beter dat A.J. op een oude driewieler of skelter zou beginnen, en niet op een oude fiets. De tram kwam eraan en we stapten in, de twee liepen langs de conducteur en ik probeerde in mijn zakken een strippenkaart te ontdekken.

'Het klinkt misschien gek en ik weet dat je die smoes al duizenden keren hebt gehoord, maar die mongool daar heeft mijn strippenkaart vanmiddag opgegeten.' De conducteur keek naar A.J. en zei dat ik kon doorlopen.

Twintig minuten later stonden we voor de deur van oma's aanleunappartement. Voordat ik haar een knuffel kon geven, fluisterde ze in mijn oor dat ze heus wel wist dat die groene ballen geen bitterballen waren. 'Ik mag dan wel dement zijn, maar ik ben godverdomme geen mongool.' De voordeur viel automatisch dicht, enkele momenten later hield ik een taxi aan.

'Waar zijn jullie geweest?' vroeg de taxichauffeur.

'Artis,' zei ik verveeld.

'Artis? Daar nam mijn grootmoeder me vroeger altijd mee naartoe in de zomervakantie.'

A.J. viel in slaap op de achterbank en terwijl ik een kappersgesprek met de bestuurder voerde, hoopte ik dat A.J. de achterbank niet onder zou kotsen. Een strippenkaart en een broodje falafel, niet echt een gastronomisch verantwoord tweegangenmenu als je het mij vraagt. De taxi reed onze straat in en stopte voor de deur.

'Hij betaalt,' zei ik en ik stapte uit de Mercedes. Door het achterraam zag ik dat de taxichauffeur de slapende mongool wakker probeerde te maken. Hij probeerde een plek op zijn lichaam te vinden waar geen kwijl op zat en besloot daarom een forse tik tegen de rechter kaplaars van A.J. te geven. A.J. stapte versuft uit en betaalde het verschuldigde bedrag aan de medewerker van TCA.

Dat was een van de leukste dagen van mijn leven. Waarom? Ach, sommige dingen moet je gewoonweg niet willen begrijpen, net als parfumreclames. Ooit een parfumreclame gezien die je snapt? Eerst zie je een vrouw met een wapperende sjaal, opeens krijg je dan een close-up van een pauw met zes poten en dan zie je een ongeschoren man op een motor. Niet veel later komt de vrouw weer in beeld, terwijl ze een zwarte panter uitlaat in een sprookjesbos, daarna zie je een kikker verdwijnen in een vijver van jus d'orange. *Fin*. Toch koop je iedere keer weer dat luchtje voor Moederdag, hoe doen ze dat toch?

Polly was ook bijzonder trots op mij. 'Je bent eindelijk volwassen aan het worden, James,' zei ze, terwijl ze een slokje van haar Fristi nam.

Sindsdien ben ik verliefd op Artis, want dankzij die dierentuin was Polly trots, ze zag vooruitgang in mijn doen en laten. Uit dankbaarheid ben ik dus bij Artis gaan werken.

Een aantrekkelijke vrouw neemt plaats voor de dromedarissen. Ze is alleen, ik moet haar neuken. 'Mag ik u complimenteren met uw imposante buste? Kijk die arme dromedarissen nou, die hebben één misvormde bult, u bent gezegend met twee foutloze. Misschien ben ik een tikkeltje direct, maar heeft u zin om straks geneukt te worden in het planetarium?'

De brunette van begin veertig bijt op haar onderlip. 'Maak nou eerst maar een foto en probeer me daarna eens te verleiden. Jij bent dat schrijvertje, toch? Volgens mij heb ik je ooit eens gezien bij DWDD. Vertel maar eens hoe je het voor je ziet, wat zou je willen doen in het planetarium?'

Ik neem twintig foto's, twee voor haar en achttien voor mijn eigen privécollectie. 'Ik wil je kapot neuken en dan op je tieten komen als een mooie broche. Straks zit je in een comfortabele stoel, je ogen vliegen door het heelal, ik zit gehurkt. Je sappen vestigen zich in mijn baard en mijn tong begint te verzuren, toch blijf ik graancirkels in je schaamhaar likken. Jij hebt recht op een buitenaards orgasme en met behulp van mijn speeksel zorg ik voor erosie op je venusheuvel. Kom maar, schat, kom met de snelheid van het licht.'

De rijpe dierentuinbezoekster lacht. 'Geef me een halfuurtje, ik wil eerst nog even door het aquarium lopen.'

'Prima, ik zie je over dertig minuten onder de sterren. O, en doe de sidderaal de groeten van me.'

7

Mijn uitgever, meneer Van Groningen, loopt op me af met twee slecht getapte biertjes in zijn hand. 'James, doe iets met deze pijn. Schrijf het van je af, maak literatuur van Polly. Vertel! Hoe zien je dagen eruit?'

Ik pak een biertje uit zijn hand, kijk naar zijn patserige klokje en zucht diep. 'Het is een teringbende, Van Groningen, ik zit vast in een web van porno, lege pizzadozen en goedkope pils. Mijn avondeten bestaat uit Choco Pops of magnetronloempia's. In de douche staan acht flessen shampoo, zeven ervan zijn leeg en ik heb vaak pas na vijf keer proberen de volle fles in mijn klauwen. Dan ben ik nog niet eens over de vrouwen begonnen. Vanavond komt mijn biseksuele kunstenares uit Amsterdam-Oost langs. Ik ben niet echt in de stemming voor onze tweede date, maar ik ben het mezelf en mijn huis verschuldigd. Mijn badkamerspiegel hunkert naar zachte vrouwelijke vormen, de muren van mijn huiskamer snakken naar de onbevangen lach van een vrouw en de stoffige ruimtes onder mijn bank vragen om rondslingerende tubes lipgloss. Vanochtend was het nog de beurt aan mijn buurvrouw. Op handen en voeten, haar kastanjebruine krullen fungeerden als halsband. Mijn prijswinnende teef. Zweetdruppels seilden ab van haar achterste. "Ik kom!" Ik draaide mijn buurvrouw om en gooide mijn lul in haar gulzige gezicht. Ze apporteerde met dichtgeknepen ogen.'

Van Groningen knikt en bestelt een fles champagne bij de ober. 'Je hebt goud in handen, Worthy. Weet je wat, ik heb een adresje in Zuid-Frankrijk. Wijn, brie, lavendel, zee, rust. Jij gaat daar morgen naartoe en schrijft alles op.'

'Wijn, brie en lavendel? Ik ben een man van dertig. Hebben ze daar in de buurt ook zo'n midgetgolfbaan? Dan hebben we een deal.'

Van Groningen schenkt de champagne in. 'Om de hoek van dat adresje zit een midgetgolfbaan. Het stikt er van de muggen, maar met de baan zelf is helemaal niets mis. Het schijnt veruit de beste baan van de Charente-Maritime te zijn.'

'Dan ga ik literatuur van Polly maken, en brie leren eten. Maar dan gaan wij vanavond wel de bloemetjes buitenzetten, Van Groningen. En niks geen lavendel, echte bloemen! Wij gaan de darmflora uit onze lichamen zuipen. Mijn laatste avondje Amsterdam, ik bel die biseksuele kunstenares gelijk eventjes af. Tweede dates zijn toch niet mijn favoriet. Ze bestaan bij mij altijd uit drie dingen: dronken worden, een slordige vrijpartij en een veelbelovend doch rustgevend bedgesprek terwijl de televisie op mute staat. Het zijn drie dingen waar ik toevalligerwijs vrij solide in ben en bovendien leer je de vrouw zo op alle fronten kennen. Hoe is ze als ze dronken is? Is ze net als 67% van alle andere vrouwen niet bijzonder dol op het gebruik van speeksel tijdens de seks? En kan ze een uur lang praten zonder dat het gaat vervelen? Vooral het tweede punt, het spuugdilemma, gaat mij al jaren aan het hart. Veel vrouwen ervaren het namelijk als neerbuigend als een man in de richting van het vrouwelijke seksorgaan tuft. "James? Waarom spuug je op mijn kut, zei ze iets naars over je moeder of zo?" Weet je wat het is, Van Groningen, de moderne mens betrekt de oren te weinig bij de seks, het draait alleen nog maar om de ogen. Mooie lingerie, hoerige nagellak, stilettohakken, te dik aangebrachte lippenstift, allemaal leuk en aardig maar het oor wil ook wat. Goedkope rode lippenstift die afgeeft is prachtig, maar ik kan meer genieten van de symfonie die een man en vrouw gezamenlijk creëren tijdens de daad. Klotsende borsten, billen en ballen, dat banale sekslijntaaltje, het piepende bed, de bezemsteel van de buurman die tegen het plafond bonkt, stuk voor stuk geluiden van het niveau Brahms. Het mooiste geluid echter is ook de reden dat ik spuug. Het vrouwelijke geslachtsorgaan is wat mij betreft het mooiste instrument op deze aardbol en doet echt niet onder voor een fagot of panfluit. Een droge kut maakt het geluid van twee dorre takjes die door een padvinder tegen elkaar worden gewreven in een poging een vuurtje te maken. Een vochtige kut maakt het geluid van een oma die aan één stuk door op een pepermuntje zuigt. Het draait allemaal om de kletsnatte variant en daarom spuug ik.'

*

Ik zit achter op de fiets, de maan is vol, maar de achterband niet. Van Groningen trapt als een bezetene, terwijl ik geniet van de wind die de straatverlichting doet schommelen. Hierdoor lijkt Amsterdam voor heel eventjes op een bijzonder grote openluchtdisco. Ik stop twee vingers in mijn neus en zuig de achtergebleven cokeresten onder mijn nagels vandaan. We zoeven rakelings langs een politiepaard.

'Van Groningen? Wat voor straf zou er staan op het bijten van een politiepaard? Soms wil ik gewoon mijn tanden in zo'n beest zetten, ze schijten de hele stad onder en ik mag niet eens tegen een boom plassen?'

We lopen door de Leidsestraat, snorders fluisteren vragend hun beroep en twee Marokkaanse jongens op een fluorescerende scooter proberen een meisje in een glitterjurkje te paaien. 'Pssst! Pssst! Yo! Pssst!' Alsof Marokkanen hun eigen morsecode hebben. Het meisje laat de vleierijen links liggen en papt aan met een studentikoos uitziende knakker op felrode bootschoenen. Mijn telefoon gaat, op het scherm staat VIEZE TERINGHOER BELT en ik zie een afbeelding van een heks op een bezemsteel. Ik neem niet op. Waarom belt ze nu opeens? Waar was ze toen ik in het ziekenhuis lag? Nee, ik ga deze avond niet laten verpesten door die diabolische teef. Polly, godverdomme, de goot waar ik nu in lig te creperen begon ooit tussen jouw fluweelzachte benen.

Als ik het café in loop, staat Van Groningen al met drie meer dan adembenemende vrouwen te praten. Hij fluistert in oren, streelt schouders en gaat rond met een fles champagne die duurder is dan mijn hele outfit. 'Hij daar, die man,' hij wijst in mijn richting, 'over tien jaar is hij de beste schrijver van Nederland.' De zes ellenlange vrouwenbenen komen op me af, maar alleen de middelste twee kunnen mij bekoren. Ze zitten vast aan een vrouw met zwart krullend haar, overduidelijk een prostituee, maar daar kan ik best mee leven.

'Dus jij bent een schrijver,' kreunt ze krols.

'Ik schrijf af en toe een boekje, maar ze verkopen voor geen ene kut. Alles moet tegenwoordig over kanker of loverboys gaan, of een loverboy met kanker, daar heb ik geen zin in. Mijn boeken gaan... Weet je wat, ik mail je de uittreksels morgen wel, laten we gaan neuken.'

'Nu al?'

'Je bent toch een hoer?'

'Nee, ik ben fotomodel.'

'Dat was mijn tweede keus. Dus je staat niet op de hoek van de straat, maar op levensgrote posters in bushokjes?'

'Hoe ga je dit ooit nog goedpraten?'

'Niet. Mijn excuses. Kom, Van Groningen, we gaan naar de karaokebar.'

We lopen de kroeg uit.

'James? Waarom baddert jouw penis, *as we speak*, niet in het speeksel van die Braziliaans uitziende krullenbol?'

'Ja tering, ik dacht dat het een hoer was. Ik denk sowieso altijd dat alle mooie vrouwen die met jou praten van lichte zeden zijn.'

Van Groningen probeert me te slaan met zijn fietspomp. 'Ongelooflijk domme lul, dat meisje is het nieuwe gezicht van H&M. Jij had in het nieuwe gezicht van H&M kunnen komen.'

De karaokebar op de Zeedijk zit vol toeristen, ze dragen 'I hartje Amsterdam'-T-shirts en kijken ezelachtig uit hun door marihuana rood geverfde ogen. Een blonde jongen met een Duits accent zingt een hitje van Bon Jovi, een Peruaanse flapmuts rust nonchalant op zijn olijke knikker. Van Groningen veinst een gaap. 'Wat doen we hier in godsnaam? Waarom bevind ik me in dit deprimerende rattenhol?'

Ik overhandig hem een dubbele wodka en neem snel een flinke teug van mijn vierdubbele wodka, zodat het net lijkt alsof we evenveel drank in onze glazen hebben. 'Weet je wat het is met karaoke? Het is puur, onvervalst. Die Duitser op het podium weet donders goed dat ie niet kan zingen, zijn stembanden lijken van zuurkool, maar toch staat ie daar. Trots, de schaamte voorbij. Daar heb ik bewondering voor en ik wil kijken of ik dat ook kan. Vraag jij even "A Groovy Kind of Love" van Phil Collins voor me aan, mijn blaas staat op springen.'

Ik mik op de welbekende vlieg maar raak het zeepje. Het is overduidelijk: ik ben dronken. Na het wassen van mijn handen plaats ik ze onder de handdroger, maar na dertig seconden zijn ze nog steeds nat.

'Vriend, dat is een condoomapparaat,' zegt een man die even verderop in het urinoir staat te pissen. Hij schudt luidruchtig af, haast patserig.

'Ben jij je nou aan het afschudden of vliegt er een pelikaan door deze ruimte?' De man negeert mijn opmerking en loopt straal langs me heen, zonder zijn handen te wassen. Blijkbaar wassen alleen klein geschapen mannen hun handen. Hmm, de handzeep uit het pompje ruikt naar vanille.

Condooms, sinds het uit is met Polly moet ik die ook weer gebruiken. Dat is altijd zo fijn van een relatie, je gaat een keertje naar de piemeltjesdokter en daarna hoef je nooit meer een rubberen bruiloft te vieren. Ik gooi wat kleingeld in het apparaat en niet veel later heb ik een pakje condooms met aardbeiensmaak in mijn handen. Binnen op het podium zingen drie Aziatische jongetjes 'Billy Jean'. Michael Jackson draait zich ongetwijfeld om in zijn graf. Op je buik liggen met een stijve piemel is zelfs voor de King of Pop niet te doen.

Dan klinkt de keyboardintro van 'A Groovy Kind of Love' uit de luidsprekers, mijn stembanden schreeuwen om wodka en Van Groningen vraagt aan de barman of hij ergens oordopjes kan kopen. Fuck it.

'When I'm feeling blue, all I have to do.' Niemand luistert. 'Is take a look at you, then I'm not so blue.' De Duitser met de Peruaanse flapmuts joelt. Pokdalige pleurisnazi. 'When you're close to me, I can feel your heart beat.' Moeilijke tekst zeg. Ah gelukkig, ergens bij de bar gaat mijn dobber onder. Het haakje zit vast in de wang van een 7+. 'I can hear you breathing near my ear.' Ze lacht lief, ik wil haar horen ademen. 'Wouldn't you agree, baby you and me got a groovy kind of love.' Ik vraag me af hoe haar kut zal smaken en of Phil Collins ook van beffen houdt. Er zoeft een bierglas langs mijn hoofd. Waarom zoeft er een bierglas langs mijn hoofd? Ik stap van het podium en sprint op de glazengooier af. De luidruchtige afschudder? Waarom? Vraag gewoon rustig waarom, hij ziet er te sterk uit. 'Waarom? Waarom? Zwakzinnige hoerenzoon. Jij gaat nu op dat podium staan, nu! Ik mag ook een keertje gooien, dat is wel zo netjes. Als ik je mis staan we quitte, als ik je raak bel ik persoonlijk de ambulance. Deal? Of moet ik je hier afranselen voor de neus van je schoonmoeder?'

'Dat is mijn vrouw, droplul. Jij en ik gaan nu naar buiten.'

'Prima, neem je een glas mee of een brandblusser? Of vecht je deze keer als een man? O, en je vrouw lijkt op iemand die pijpt voor een rolletje pepermunt. Helaas heb ik alleen maar een rolletje Stophoest bij me.'

Ik loop achter de reus aan, hij knakt wat knokkels en trekt zijn met schedels bezaaide shirt uit. Van Groningen stopt iets in mijn jaszak, het voelt aan als een boksbeugel en dat blijkt het ook te zijn. 'Van Groningen, waarom loop je rond met een boksbeugel?'

'Ik woon in Bos en Lommer, James.'

De beul slaat zichzelf op zijn ontblote borst, een immense tatoeage van een vuurspuwende draak danst over zijn torso. 'Vuile nicht. Eerst begin je over mijn lul, daarna zing je een lied van Phil Collins.'

Noem mij een zaadslurpende homo, prima, maar begin niet over Phil Collins. Ik loop op hem af, steek mijn vingers door de boksbeugel en bal mijn rechtervuist. 'Phil gooit geen glazen naar homo's, Phil is een vroeg kale halfgod.'

Het regent. Er landen tientallen druppels op mijn vliegende vuist, ik voel ze, ik tel ze, totdat ik het geluid hoor van ijzer op bot. Mijn kwelgeest gaat door zijn knieën, de draak spuwt bloed. Ik neurie 'I Wish It Would Rain Down', terwijl ik mijn linkerknie verre van voorzichtig in zijn gezicht plant.

'Je fokt met een drakendoder!'

Ik gooi mijn jas op de grond, mijn overhemd volgt snel. 'Jezus, pak eens een zonnebank,' schreeuwt een verblinde toeschouwer. De regendruppels vallen op mijn lelieblanke bovenlichaam.

'Laffe kut, homofoob, je fokt met een drakendoder!'

Van Groningen probeert me te kalmeren, hij schreeuwt in mijn linkeroor: 'Het is de bedoeling dat je morgen in Frankrijk zit, niet in de gevangenis. Wij gaan hier nu weg. Trek je kleren aan, albino-Hulk.'

Mijn uitgever en ik zitten in een kroeg op de Spuistraat. Het is er lekker warm, de barvrouw spoelt glazen en er staan tijgernootjes op de bar. 'Jezus James, als ik niet had ingegrepen was die gast nu dood.'

'Ja hallo, jij stopt een boksbeugel in mijn jaszak.'

'Akkoord, maar er zit zoveel woede in je, niet eens opgekropt, het puilt er gewoon uit. Robert De Niro in *Raging Bull*. Briesend. Je stond net halfnaakt op de Zeedijk "Je fokt met een drakendoder" te brullen.'

'Natuurlijk heb ik een probleem. Wat ik wil is doodgaan, neuken en vechten. Niet per se in die volgorde trouwens. Die gitzwarte kant, ik begin er een beetje aan te wennen. Ik heb net iemand geslagen met een boksbeugel, ik, een schuchter blank jongetje uit Oud-Zuid. Mijn lichte kant zou dat nooit gedaan hebben, die denkt te veel. Mijn donkere kant doet het gewoon. Jij probeert me te onthoofden met een bierglas? Dan breek ik jouw jukbeenderen met een boksbeugel.'

8

Keesje, mijn oude kat, loopt cirkels rondom mijn versleten bruin-lederen reiskoffer. Ze geeft kopjes aan de hoeken en bijt zachtjes in al het andere. Een van haar veel te lange nagels blijft hangen in mijn zwembroek. 'Kees! Godverdomme. Dat is mijn nieuwe zwembroek, als er een gat in zit gooi ik zonder pardon een doosje punaises in je bak.'

Ze kijkt me aan als een vrouw, een vrouw die donders goed weet dat ik niet boos op haar kan worden. De ogen van Keesje zijn gelig, haar pupillen bevinden zich in romige wolkjes van zelf-gemaakte piccalilly. Ik weet niet eens waarom ik boos op haar ben, alsof ik die zwembroek überhaupt ga dragen. Het is een gif-groen gevaarte met veel te korte pijpen en bovendien zwemt er een school donkerblauwe vissen om en nabij de plek waar mijn modale bobbel komt te zitten. Er is helemaal niets mis met car-tooneske waterbewoners, maar ze horen niet thuis op de zwem-broek van een dertigjarige. Bovendien heb ik het gewoon niet zo op zwemmen. Ik hou van water, ben dol op de regen, maar zwemmen verliest veel van zijn glans na je twintigste levensjaar. Hoogspringen over golven, bommetjes of salto's van de duik-plank maken, terwijl je de begintune van *Baywatch* zingt, het kan allemaal niet meer. Op mijn leeftijd snorkelen mannen. We dob-beren in troebel water als bitterballen in frituurvet, en met onze bierbuiken schuren we over de schrale zeebodem. De stilte werkt rustgevend, de zee is onze surrogaatbaarmoeder, maar toch zijn we druk aan het wachten. En niet op felgekleurde vissen, zeepaardjes of parende heremietkreeften, nee, we wachten op een haai die ons uit ons lijden komt verlossen. 'Zet je vlijmscherpe tanden in mijn gifgroene zwembroek, perforeer mijn gebroken hart, hopelijk hoef ik in het hiernamaals niet volwassen te worden.' Twee dagen later spoelt er een duikbril aan, de duikbril van een man die nu lekker bommetjes maakt in het Zuiderbad van de hemel.

Een auto toetert driemaal, ik loop naar het raam. Een bordeauxrode Volvo stationwagen staat geparkeerd op het trottoir. Het raampje aan de bestuurderskant gaat omlaag, er verschijnt een middelvinger. Dit obscene gebaar is afkomstig van Roemer Olijfveld, mijn handlanger. Roemer, directeur van een redelijk succesvolle hondenuitlaatservice, zal mij naar Saint-Georges-de-Didonne chaufferen. Roemer is zeker niet mijn beste vriend, maar hij is mijn enige vriend die in het bezit is van een rijbewijs. Roemer is saai, Roemer ontbeert charisma en het helpt ook niet echt mee dat Roemer weet dat ik het een keertje met zijn zusje heb gedaan. Kleine Olga Olijfveld. In 2001 heb ik haar volledig door elkaar geschud op een kleedje. In een mistig Vondelpark heb ik de olie uit haar poriën geperst. Onder de sterren, tussen de brandnetels, in elkaar. Tal van nieuwsgierige insecten kropen die avond over onze stomende lichamen, Olga en ik leken ongetwijfeld op een verrukkelijke composthoop.

'Ik zag laatst je zelfmoordpoging op AT5,' ginnegapt Roemer op een toon waaruit blijkt dat hij mijn suïcidale escapades verre van serieus neemt.

'Het was geen zelfmoordpoging, ik stond gewoon op een dak.'

'Wilde je niet echt dood dan?'

'Op dat moment wilde ik dood, springen, als een waterballon vol bloed neerknallen op mijn oude schoolplein, maar momenteel ben ik best content met een hartslag. Nu wil ik eenvoudig-weg naar Frankrijk om te schrijven. Een boek over Polly, een boek over ons, alleen zo kan ik haar terugwinnen. Om een of andere reden is ze de Greatest Hits van onze relatie vergeten, genoeg is genoeg, onze harten moeten de dansvloer weer op.'

Roemer doet de autoradio aan. 'Waarom zou ze je terug wil-len? Je bent een wrak, James. Je nagels zijn zwart, je wallen zijn zwart, je bent één grote donderwolk.'

Ik klap het spiegeltje naar beneden en kijk naar mijn wallen. Godverdomme, die Roemer heeft gelijk, ik lijk op een wasbeer met aids.

'Ja ja,' zeg ik zuchtend, 'hoe is het eigenlijk met je zus?'

De Volvo zigzagt door het verkeer en ontelbare regendruppels zwieren over de voorruit. Roemer zit in zijn eigen wereld, zoals alleen een man die een mosgroene coltrui draagt in zijn eigen wereld kan zitten.

'Waar denk je aan?' vraag ik, terwijl ik de radio stiekem harder zet.

'Jij altijd met je gejank over de liefde. Ik geloof niet dat vrou-wen trouw kunnen zijn tenzij, en nu komt het, je de vrouw uit een benarde positie weet te redden. Een vrouw blijft alleen bij je als ze beseft dat ze alleen maar ademt omdat jij haar hebt ge-red. James, een vrouw redden van de dood of verkrachting is de enige manier. Dankbaarheid is de enige echte steunpilaar van de liefde.'

Een macabere instelling, maar wie ben ik om daar iets van te vinden? Ik ben tenslotte degene die zijn zus heeft geneukt, ergens op een hoofdstedelijke mierenhoop, met highlights van spinnen-webben in haar kastanjebruine krullen.

Mijn ietwat merkwaardige compagnon gaat dus bijna iedere nacht op pad, door grimmige steegjes en langs de meest verlaten parkjes, op zoek naar die vrouw in nood. Hij wacht op die ene schreeuw of gil die door merg en been gaat en slaat dan toe. Op zich heeft het wel iets kranigs, iets in de trant van een superheld zonder superkrachten. Maar eigenlijk denk ik niet dat onze Amsterdamse verkrachters en moordenaars wakker liggen van een misdaadbestrijder wiens alter ego poedels uitlaat.

'Erg druk heb ik het nog niet gehad, maar het is dan ook winter, niet echt een fijne periode voor de plaatselijke verkrachter. Hoe trekt die gast twee maillots, een lange onderbroek en een normale broek naar beneden met wanten aan? Dat is onbegonnen werk,' aldus een bloedserieuze Roemer. 'James, het gaat echt niet alleen om verkrachters. Stel je voor dat er een vrouw in de gracht valt en jij degene bent die haar redt, dan is ze per direct jouw eigendom. Natuurlijk probeert ze je eerst af te wimpelen met een doorweekt briefje van twintig, een geveinsde glimlach en haar "zogenaamde" telefoonnummer, maar na een tijdje went ze wel aan het feit dat ze jouw lijfeigene is.'

De Volvo stopt bij Hazeldonk, daar waar ik vroeger mijn guldens inwisselde voor Franse francs. Roemer stapt uit en ik besluit mijn benen ook maar te strekken. Het motregent. Ik ben dol op regen, regen is eerlijk. Het toont aan dat mijn haar dunner wordt en dat ik nu echt een keertje waterdichte schoenen moet gaan kopen. De zon maakt mensen mooier, haar stralen fluisteren slijmerige complimentjes in de richting van de aarde. Regen daarentegen is zuiver en rechtdoorzee, zijn druppels laten de echte mens zien. Onze zwaktes. Make-up loopt uit, haar zakt in. Regen toont aan hoezeer we onszelf haten. We schuilen in portiekjes en onder paraplu's. Mijn opa ergerde zich er ook altijd aan. 'Mensen die schuilen voor de regen, lopen over in de oorlog,' zei hij, zoals een echte opa betaamt. Wijs en smakkend, gelukkig, tevreden knikkend. Opa Willem, ik heb hem nooit gekend. Hij was al dood voor ik er was, maar ik weet gewoon dat hij slimme dingen zou zeggen. Nu, hier, met een arm om me heen. Daarom quote ik hem soms, om hem in leven te houden, hem die ik nooit heb gekend.

Roemer eet een krentenbol, ik drink een blikje Sprite. Vrachtwagens toeteren naar elkaar, herhaaldelijk en zonder gêne, alsof ze de koningen van de wereld zijn. Ze brengen puzzels naar Portugal en geurkaarsen naar Marokko. Ik snap dat haantjesgedrag nooit zo. Doe niet zo belangrijk met je pornoblaadjes en je domme vaantjes voor de ramen. Je bent een dikke vent met een walrussnor. In de avond pik je een hoertje op. Ze heeft geen zin in je zweterige zak, maar ze doet het, puur uit medelijden en toevallig is ze dol op puzzelen. Stop met toeteren.

Een meisje met lang blond haar en een stuk karton in haar handen komt naast ons staan. Op het stuk karton staat PARIJS, kleine hartjes fungeren als puntjes en de i lijkt op de Eiffeltoren.

'Zo, jij bent creatief,' zeg ik spottend.

'Gaan jullie naar Parijs? Alsjeblieft alsjeblieft, ik moet mee,' gilt ze met een licht Rotterdams accent.

'Van mij mag je mee, maar die stumperd daar is de chauffeur. Het is zijn aftandse Zweedse bolide. Mag ze mee, Roemer? Mag ik haar houden? Ah toe! Ik zal goed voor haar zorgen.'

Roemer twijfelt. 'Waarom heb je nog geen lift gevonden? Eerlijk is eerlijk, je bent geen onaangename verschijning...'

'Aafke,' roept ze, 'mijn naam is Aafke en ik sta hier net een kwartier. Bedankt voor het compliment. Als je mijn type was geweest, mocht je nu aan mijn borsten zitten.'

'En ik? Ben ik je type?'

Al sinds ik kan kruipen, ga ik achter de vrouwen aan. Niet eens opzichtig of zo, nee, ik vertoef in hun schaduw en bedrijf de liefde met hun ondoorgrondelijke silhouetten. Ze kruipen in mijn hoofd en zaaien uit in de richting van mijn immer vacante hart. Ik ontwikkel, razendsnel en in recordtijd, gevoelens voor het andere geslacht in mijn bloedpompende doka. De laatste jaren heb ik niet eens meer een gezicht nodig, ik kan met alle gemak verliefd worden op een fiets, de laatste resten van een verlokkelijk luchtje in de tram of... Aafke! Godverdomme.

Aafke loopt voor ons uit, alsof ze weet waar de Volvo staat. De gekkerd.

'Roemer,' fluister ik, 'denk jij wat ik denk?'

'Ze had wel even kunnen douchen, denk je dat?'

'Nee, ik ga je helpen. Ergens onderweg ga ik een verkrachting in scène zetten. Bijzonder geloofwaardig en speciaal voor jou. Dan mag jij de rol van de aantrekkelijke ridder vertolken en ik, ik zal genieten van jullie eerste zoen.'

Roemer blijft ineens staan. 'Zou je dat echt voor mij willen doen? Wil je er geld voor hebben of zo?'

'Geld? Je bent mijn vriend, man. Ik wil alleen maar dat je gelukkig wordt. Als ik daarvoor een onschuldige liftster aan moet vallen, *so be it*, ik heb vreemdere dingen gedaan.'

Aafke huppelt onze kant op. 'Waar staat jullie auto?'

Ze heeft een leuk gezicht, ik wil niet dat Roemer haar zoent. Hij is toch niet haar type, de saaie lul. Ik sla mijn linkerarm om haar heen. 'Wij brengen je naar Parijs, maar wat ga jij eigenlijk voor ons doen?'

'Meezingen met de radio en boeren.'

'Prima, als je maar niet gaat tekenen,' zeg ik lachend, 'want die Eiffeltoren lijkt voor geen ene kut.'

9

Aafke zit achterin, alleen. Misschien had ik toch naast haar moeten gaan zitten. Stel dat het meisje kwade bedoelingen heeft. Waarom ben ik toch zo verdomde naïef? Dat handtasje, er zit vast een mes in. Ze is een carjacker. Ik weet het zeker, ze vinden ons over drie maanden in een Vlaams bos: onthoofd, misbruikt, naakt, maar vooral heel erg dood.

'Aafke, mag ik heel even jouw handtasje inspecteren? Ik vertrouw je, je hebt een eerlijk gezicht, maar mijn ex was ook gezegend met een eerlijk gezicht.'

Polly, mooie Polly, ik ga gewoon een boek over je schrijven. Er zit nu een krankzinnige liftster achter me in de auto, dat had je vast niet goedgevonden. En terecht. Soms moet ik beter nadenken voordat ik iets doe. Zoals die ene keer dat ik porno ging zoeken op je vaders computer, dat was onnodig. Maar jeetje, wat wist je vader van wanten, laklederen wanten welteverstaan.

'Hier.' Aafke overhandigt mij haar tasje. Het is een stoffig gevaarte, pimpelpaars, net naast de rits staat een quote van Oscar Wilde: *'Most people are other people. Their thoughts are someone else's opinions, their lives a mimicry, their passions a quotation.'* Op de andere kant, net onder een handig vakje, staat een quote van Markies de Sade: *'It is always by way of pain one arrives at pleasure.'* Wat een walgelijk pretentieus tasje. Wilde en De Sade hadden dit vast niet zo gewild, ze staan potdomme op het handtasje van deze avontuurlijke wildebras. Ik rits haar sacoche open en vind wat make-up, een flesje eau de toilette, kleingeld, condooms, een rolletje Rang en een zeepje.

'Waarom gaan jullie eigenlijk naar Frankrijk?' vraagt ze, terwijl ze met het touwtje van haar capuchontrui speelt. Roemer haalt zijn rechterhand van het stuur en wijst naar mij. 'Deze man hier gaat een boek schrijven over zijn gebroken hart. De homo. Ik breng hem alleen.'

Aafke steekt haar hoofd tussen de twee voorste stoelen. 'Serieus? Een schrijver? Maar waarom kan je niet in Nederland schrijven dan?'

Wat een vragen. Aafke is net een kleuter. Jezus christus, wat ben ik blij dat ik haar zo direct mag verkrachten.

'Amsterdam had me in een levensbedreigende houtgreep, ik moest weg. Die hele stad ademde mijn ex. Overal waren er herinneringen, prachtige herinneringen, maar herinneringen worden uiteindelijk obstakels. Mijn ex zat verstopt in bomen, op menukaarten, in alcohol en andere vrouwen. Ik ontvlucht haar onverklaarbare gedaanteverwisselingen.'

Aafke legt een hand op mijn schouder, wrijft vriendelijk en lacht naar me via de achteruitkijkspiegel.

'Ik ga naar Parijs omdat het er altijd zo mooi uitziet in Amerikaanse films. Het is mijn droom om te acteren, ik hoop dat ik daar word ontdekt,' zegt ze met een aanstekelijke naïviteit.

Aafke slaapt, ze ligt languit op de achterbank en ik blijf maar naar haar kijken. Het meisje heeft een ontwapenende uitstraling, zelfs tukkend. Ik gooi mijn jas over haar heen, niet eens omdat ik denk dat ze het koud heeft – hoffelijkheid is overgewaardeerd – nee, ik wil haar aanraken. Overal, van haar blonde top tot haar roodgelakte tenen. Wij zijn medestanders, twee onbegrepenen op de vlucht in een rode Volvo, uitgekotst, ergens in Vlaanderen. Zwerfstenen. Mijn kortstondige verliefdheid leunt altijd erg op het paternale. Troosten, geruststellen. 'Aafke, jij kan de hele wereld aan. Over vijf jaar ben je net zo beroemd als Carice van Houten.' Slapende vrouwen, ze kunnen niets verkeerd doen en daarom zijn ze zo gevaarlijk. Helemaal voor mij, want mijn bierbuik is een vlindertuin.

'Wat zit je nou naar Aafke te kijken? Ze is van mij, hè, deze is voor mij,' smiespelt Roemer, terwijl hij uitwijkt voor een Poolse vrachtwagen.

'Ja, maar kijk dan, ze is alles wat ik zoek in een vrouw.'

Roemer schudt zijn hoekige hoofd. 'Krijgen we dit nu weer? Ik was even vergeten dat alle vrouwen op deze wereld van jou zijn. Jij egoïstische lul. Alles draait om jou en je domme verhaaltjes. Nooit vraag je naar mij en wat ik doe.'

'Je runt een bijzonder succesvolle hondenuitlaatservice...'

'Nee, James, bek dicht. Bij het volgende tankstation zet ik jullie eruit.'

'Waarom neem je Aafke niet mee dan? Hè? Wat ben je opeens een stoere vent, Roemer. Met je coltrui. Weet je wat jouw probleem is? Je bent een saaie homo. Altijd al geweest. Waarom neem je Aafke niet lekker mee naar huis?'

Er verschijnt een ader op het voorhoofd van Roemer. 'James, ik wil Aafke niet meer. Het is overduidelijk dat ze voor jou kiest. Ze streelt de hele tijd over je schouders. Kijk haar eens dromen, de hoer, wedden dat ze over jouw pik droomt.'

Ik lach. 'Net als je zusje iedere nacht doet zeker?'

De rode Volvo stopt abrupt op de vluchtstrook.

'Aafke, we zijn er,' zeg ik, terwijl ik uitstap.

'Parijs? Yes!' mompelt ze slaperig voordat ze haar walgelijk pretentieuze tasje van de grond pakt.

Roemer toetert en trakteert ons, galant als die oetlul is, op een middelvinger. Arme Aafke slaapt nog half. 'Is dit Parijs? Waarom rijden die Fransen zo hard? Waar is de stoep?'

De wieltjes van mijn reiskoffer piepen en de auto's die ons passeren claxonneren berispend. Alsof we hier voor onze lol naast de E17 lopen.

'Lieve schat, we zijn niet in Parijs. Die klootzak heeft ons uit de auto gezet.'

'Robert?'

'Nee, Roemer, maar ik begrijp volkomen waarom je zijn naam niet hebt onthouden.' In de verte zie ik een bord met plaatjes van een benzinepomp en een mes en vork. Nog twee kilometer.

Aafke zucht. 'Mag ik op je rug?' Polly wilde ook altijd op mijn rug. Altijd, maar voornamelijk als ze een muis in de keuken had gezien of tijdens een omvangrijke overstroming.

'Komt u maar,' zeg ik enigszins gekromd, 'maar als je paardrijdgeluiden gaat maken is het over.'

Vrachtwagens toeteren, auto's toeteren, maar wij zitten in onze eigen wereld. Aafke geeft af en toe zoete kusjes in mijn nek, eigenlijk ben ik veel te moe om haar en mijn koffer te dragen, maar haar kusjes fungeren als brandstof.

'Ik zie een tankstation, ik zie een tankstation!' gilt ze enthousiast alsof ze zojuist een nieuwe planeet heeft ontdekt. Haar kinderlijke onaantastbaarheid is van jaloersmakende proporties.

'Zullen we gewoon doorlopen naar het volgende tankstation,' opper ik stellig, 'ik wil namelijk niet dat je van me afstapt. Jij hoort op mijn rug, daar ben ik nu wel achter.'

Aafke springt van mijn bezwete rug af en duwt me over de vangrail, ik land in een berm van gras en lege frisdrankblikjes.

'De tering wat ben jij leuk, James,' zegt Aafke, haar capuchontrui ligt inmiddels op de grond.

'Nee, ik ben niet leuk. Ik ben een debiel die je een uur geleden nog wilde gaan verkrachten. Trek je kleren aan. Nu!'

'Verkracht me dan, schrijvertje. Hier.' Ze kneedt in haar degelijke borsten en kijkt bestiaal in de richting van de almaar groeiende bobbel in mijn favoriete reisbroek.

De reisbroek gaat uit en Aafke daalt in de richting van mijn onderbroekloze lichaam. 'Waarom draag je geen onderbroek?'

'Die bewaar ik voor de vakantie.'

Ik duw haar hoofd in de richting van mijn kruis. Aafke, mijn koningin, zuigt zich met behulp van haar adellijke lippen vast om mijn met aders bedekte scepter. Langs een Vlaamse snelweg, omringd door zwerfvuil, denk ik aan het zusje van Roemer.

'Aafke? De vrachtwagenchauffeurs kunnen ons met gemak zien, wat nou als we een kettingbotsing veroorzaken?'

Ze haalt me uit haar mond, spuugt op mijn lul en zegt dat ik te veel nadenk. Ze heeft gelijk, de mensheid kan me gestolen worden. Bots maar met een noodgang op elkaar, vriendelijke Vlamingen. Bloed langzaam dood over jullie airbags met druppels benzine in de haren. Aafke en ik zorgen wel voor die allesverwoestende vonk. Haar nagels planten zich in mijn buik als weerhaakjes, en pas nu zie ik dat ze op elke nagel een regenboog heeft gelakt. Het ziet er alleraardigst uit, maar wat een werk.

'Op een hele verknipte manier is dit best romantisch, Aaf,' hijg ik, 'we brengen de stad van de liefde gewoon hier, naast de snelweg.'

Ze kijkt naar boven, er zit een sprinkhaan in haar haar. Het beestje wrijft wild met zijn voorvleugels over elkaar.

'Er zit een sprinkhaan in je haar. Zo schattig. Weet je trouwens hoe sprinkhanen hun prooi vangen? Ze springen er gewoon op en doorboren het slachtoffer vervolgens met hun krachtige mondwerktuig. Beetje wat jij nu aan het doen bent, dus.'

Aafke schudt wild met haar hoofd en springt overeind. 'We maken dit wel af in de douche van het tankstation. Ik haat insecten.'

We zitten aan een tafeltje. Aafke eet een Magnum met nootjes en ik ben bezig met drie saucijzenbroodjes. Saucijzenbroodjes doen me altijd aan vroeger denken. Mijn ouders namen ons vaak mee naar La Ruche, een eetgelegenheid in de Amsterdamse Bijenkorf. Mijn zus en moeder namen een groot stuk chocoladetaart, ik nam één saucijzenbroodje en mijn vader nam er twee. Ik vond het knap dat mijn vader er meer dan één op kon eten aangezien ik na een half broodje al vol zat. 's Avonds droomde ik dan van de dag dat ik, net als mijn vader, twee saucijzenbroodjes naar binnen kon werken. De herinnering aan die gezellige dagjes uit met het gezin zijn mij nog steeds veel waard, vandaar dat ik overal waar ik kom drie saucijzenbroodjes bestel. Drie.

IO

We zitten aan een picknicktafel naast het tankstation. Aafke bladert door een *Nieuwe Revu* en ik drink een fruitig zuivelproduct. 'Weet je wat ik zo haat aan pakken zuivel en fruitdrankjes? De smaak staat al in koeienletters op het pak: BANAAN, RODE VRUCHTEN of MULTIFRUIT, maar toch vindt de producent het blijkbaar nodig om ook nog eens de plaatjes van de desbetreffende fruitsoorten op het pak te plakken. Waarom? Ik weet donders goed hoe een banaan eruitziet.'

Aafke negeert mijn zinloze tirade compleet, dus ik besluit haar genegeer te negeren. Een familie mussen doet een dansje om een stukje saucijzenbrood. Ze nemen nagenoeg om de beurt een hapje, het is een aandoenlijk schouwspel.

'James, ik moet naar de wc, maar dan echt naar de wc. Je weet wel. Dat kan ik eigenlijk alleen maar thuis.'

Ik veeg de bananenmelk uit mijn snor en kijk verbaasd naar Aafke. 'Dus je kan hier niet poepen? Bedoel je dat? Kom op, man, hoe oud ben je?'

Stiekem begrijp ik haar wel. De levenscyclus van een menselijke poeper speelt natuurlijk een grote rol in deze verwarrende manier van denken. Als baby krijg je complimenten als je zes luiers per dag vol kakt. Niet veel later ontvang je niets dan lof als je dat kunstje ook op een potje kan, en o, o, o, wat zijn papa en mama trots als je voor het eerst op een grotemensentoilet hebt zitten drukken. Kinderen groeien op met het idee dat het een gezellige gebeurtenis is waar je trots op kunt zijn, maar de harde realiteit is dat je een paar jaar later jezelf op moet sluiten en de achtergelaten geur moet verbloemen met de zoete inhoud van spuitbussen. Het feit alleen al dat er op toiletdeuren betere sloten zitten dan op menig voordeur geeft aan hoe volwassen mensen over poepen denken.

'Je mag bij mij inbreken en mijn complete inboedel meenemen, als je me maar niet ziet schijten.'

Vrouwen zijn wat dat betreft een beetje doorgeslagen. Ik weet nog dat Polly mij voor het eerst een grote boodschap zag doen. Ik was vergeten de wc-deur op slot te doen. Zij stormde nietsvermoedend ons kleine kamertje binnen, waar ik met het sportkatern in mijn handen de lichamelijke afvalstoffen via mijn derrière aan het verbannen was. Witheet drukte ze haar beide neusvleugels samen, gooide de deur loeihard dicht en vertrok stampvoetend in de richting van de huiskamer. Toen ik alle voetbaluitslagen uit binnen- en buitenland uit mijn hoofd had geleerd en mijn lichaam weer proper was, besloot ik de toiletruimte te verlaten. Eenmaal in de huiskamer kreeg ik, hoe kan het ook anders, de wind van voren. 'Ik heb nog nooit iemand anders zien poepen, mijn vader niet, mijn moeder niet, mijn zus niet, waarom zou ik jou in godsnaam wel willen zien? Dit beeld krijg ik nooit meer van mijn netvlies, echt verschrikkelijk dit. En nu wil ik weleens weten wat jij te zeggen hebt.'

Mijn stoelgang was door haar reactie tijdelijk beschadigd, ik snapte het niet. Waarom zou je je als vrouw schamen voor de goed functionerende organen van je vriend? Niet dat ze iedere keer op de rand van het bad had moeten komen zitten met de *Viva*, maar ik vind dat je niet van een gezonde relatie kan spreken als je de ander nog nooit hebt zien drukken. Ik hoor het een weduwe al zeggen op de crematie: 'Het was zo'n goede man en we hadden het zo fijn samen. We hebben de zeven zeeën bevaren, drie kinderen op de wereld gezet en de laatste jaren hebben we samen erg genoten van de vijf kleinkinderen. We deelden echt alles samen: verdriet, pijn, geluk, alles, echt alles!' Hartverwarmend, maar heeft u hem ooit weleens met de broek op de knieën op de Willem Cornelis aangetroffen? 'Neen!' Bespottelijk!

Hoe deze ziekelijke vorm van schaamte ooit is ontstaan weet ik niet, wel weet ik dat het jaarlijks vele levens kost. Laatst las ik dat 2% van de mensen die zichzelf per ongeluk in de wc opsluiten komt te overlijden. Hoe betreurenswaardig is dat? Het ene moment doe je een moord voor wat privacy en niet veel later kost deze vrijwillige manier van opsluiting je het leven. Er moeten gewoon dingen gaan veranderen en snel ook. Op de televisie kijken we naar bevallingen van wildvreemde vrouwen en openhartoperaties die het leven van een twaalfjarige bordercollie redden, maar het beeld van je liefje op de plee? Nee, dat willen we niet te zien. Jammer, want het is gewoon het toppunt van liefde. Liefde is jezelf te allen tijde op je gemak voelen, zelfs als je je kwetsbaar opstelt. Ik zeg ook bijna nooit meer 'Ik hou van je' tegen vrouwen, dat is zo'n betrekkelijke en nietszeggende uitspraak. Als ik door middel van woorden wil laten weten dat ik gek op haar ben zeg ik 'Ik mag graag in je nabijheid poepen'. Niets dekt de lading beter dan die zeven woorden. Ze laten zien dat er van schaamte geen sprake meer is en dat is prachtig, want schaamte is een symptoom van een imperfecte relatie. Daar ik altijd streef naar perfectie voor mezelf en de algehele samenleving, ben ik ervoor dat ieder stelletje, verliefd, verloofd of getrouwd, de volgende oefening doet: een van de twee gaat op de wc zitten voor een grote boodschap en de ander gaat drie meter verderop met een nagelknipper in de aanslag op de grond zitten. Kleermakerszit. Op dit magische moment zijn jullie beiden op je allerlelijkst, de teennagels vliegen door de kamer en de lucht van de ander is haast ondraaglijk. Wondermooi jongens, jullie zijn wondermooi.

'Ik ga wel met je mee, Aafke, kom. We moeten nog helemaal naar Parijs lopen, ik zit echt niet op een geconstipeerde reisgenote te wachten. Jij gaat naar de wc, dan gaan we samen douchen en daarna spring je weer op mijn rug. Hup.' Ze strompelt in de richting van het gebouw, ik volg haar op twee meter. Een vrachtwagenchauffeur met een gaaspetje kijkt haar na, een vader die de veters van zijn dochtertje strikt gaapt haar schaamteloos aan. Ze kijken naar mij met de welbekende 'hoor jij bij haar?'-blik, ik knik zelfverzekerd en tik Aafke op haar kont.

'Jij kan dit, Aafke, kom op, je bent een actrice. Wat jij straks gaat doen is geen poepen, je gaat een Oscar winnen. Meryl Streep die kwaadaardige tumor uit de schedel van je ongeboren zoon. De tijd dringt, schat. Ik ben bij je. Marlon Brando. In dat hokje naast dat van jou, daar zit ik. Te wachten, te bidden, te hopen. Jij kan dit. Wij kunnen dit. De wereld is in veilige handen.'

Mijn toilethokje ruikt naar opgedroogd bloed en in de deur staan tientallen diepzinnige boodschappen gekrast. 'Wie dit leest is een flikker.' Shit. 'Ineke ik haat je, achterbakse hoer.' 'Hete seks? Ga naar www.viezevlaamsevrouwen.be.'

'Lukt ie, schat?' vraag ik, terwijl ik zelf iets in de deur kras.

'Zeg eens iets liefs, James. Ik word gek hier. De houten muren komen op me af en er ligt een ontbindende tampon naast mijn rechtervoet. Ik draag teenslippers, godverdomme.'

Met tegenzin ga ik op mijn knieën en sleep de tampon naar mijn hokje. 'Iets liefs? We zijn gestrand op de meest ranzige plek in de Benelux en ik vind het heerlijk. Jouw schuld. Poep! Nu! Ik wil je beffen onder de douche.'

Er klinkt een plons. 'Aaf, was jij dat? Dat was jij, hè? En de Oscar voor beste peristaltiek gaat dit jaar naar, tromgeroffel, Aafke zonder achternaam.'

Ze lacht. 'Schmidt. Aafke Schmidt.'

'Zoals Annie M.G.?'

'Ja, zoals Annie M.G.'

'Kom, laten we snel douchen,' zeg ik. 'Roemer kennende loopt ie ons nu te zoeken op de parkeerplaats. Dit doet hij altijd, ook als we uitgaan. Daarom ga ik bijna nooit meer met hem uit. Je moet wel nog even mijn wc-deur lezen, er staat iets over ons.'

Aafke droogt haar handen af aan haar trui en stapt mijn hokje binnen. IK DRAAG JE NAAR PARIJS EN WEER TERUG. AAFKE M.G., IK DRAAG JE ALS EEN TATOEAGE OP MIJN RUG. Ze geeft me een kus op mijn linkerwang. 'Jij bent wel goed met de vrouwtjes, hè?'

'Ach, ik wil jullie gewoon blij maken, al ga ik er zelf aan kapot. Vrouwen maken mijn leven spannend. Ze maken een zinderende achtbaan van mijn alledaagse draaimolen.'

Aafke heeft alleen nog haar teenslippers aan, ik sta op mijn sokken. Haar lichaam is volmaakt, rukvoer pur sang. Ik neem haar linkertepel in mijn mond, terwijl ik met mijn middel- en ringvinger over de clitorale ringweg dwaal. Aafke bijt zachtjes in een oorlel, de ringvinger maakt plaats voor de wijsvinger en het nieuwe dynamische duo entert haar hemelse drassigheid. Ik ben jaloers op mijn vingerkootjes en ga langzaam door de knieën. Sommige douchedruppels schuilen even in haar navel, als ik hen was zou ik er voor altijd intrekken. Met mijn mond slurp ik ze uit haar navel en vervolg mijn weg in zuidwaartse richting. Ik begin met lange, rustige likken, van beneden naar boven. Eenmaal boven imiteert mijn tong een vlag in de wind. Hij wappert.

Ze kreunt en haar tenen gaan alle kanten op. Als ik dat zie weet ik dat ik goed bezig ben. Lijken haar tenen op een zeeanemoon? Ga dan vooral zo door.

Ze buigt voorover, haar handen stevig om de douchekraan geklemd. Haar appelvormige achterwerk wiegt tartend heen en weer. Ik plaats mijn handen op haar billen en geef de douchedruppels op mijn lul een dag om nooit meer te vergeten. Ik duw ze steeds dieper in haar goddelijke lichaam. Met het zeepje uit haar tas draai ik rondjes over haar rug. Dit is de meest geile wasstraat ooit.

Ik smeer wat zeep in haar haar voordat ik het om mijn hand wikkel en naar me toe trek. Ze hijgt als een astmatische shetlandpony. Maar ineens begint er twee douches verderop een man een opera te zingen. Vrij slecht tot erbarmelijk. Ik kan me niet meer concentreren. 'Hé Pavarotti, we proberen hier de liefde te bedrijven. *Yo Pavarotti, we're trying to make love here.*'

'Je vergeet Duits,' zegt Aafke.

'Pavarotti, iets met *Fräulein* en *bumschen*!'

Ik stoot de naderende stilte tegemoet. Ze komt recht tegen me aan staan en speelt teder met mijn ballen. De met room gevulde snelkookpan staat op springen. Liefdevol duw ik haar op haar knieën en kom over haar borsten.

Vermoeid neem ik plaats op de verwaarloosde douchetegels. 'Kom maar even op mijn gezicht zitten, ik wil dat je komt,' hijg ik begeesterd.

Op de parkeerplaats staat een rode Volvo. Die Roemer toch. Hij loopt op ons en onze rode sekshoofden af. 'James, Aafke, mijn excuses, ik had dat nooit mogen doen.'

Ik sluit hem in mijn armen. 'Jawel, ik ben de slechtste vriend ooit. Ik verdien jouw vriendschap niet, maar ik wil er vanaf nu wel voor vechten. Oké?'

Gezamenlijk lopen we naar de auto. Herboren. Met een schone lei. Volledig kapot geneukt.

De avond valt als we Noord-Frankrijk binnenrijden. Een laks maantje schijnt over het robuuste landschap. Mannen met hoedjes zitten op tractors en een bijzonder grote kraai landt op een vogelverschrikker. Eigenlijk ben ik ook gewoon een vogelverschrikker. Alleen sta ik op dansvloeren in Amsterdam. Met de armen wijd en knopen als ogen probeer ik iedereen weg te jagen. Vlieg op, ga naar je nest, laat mij alleen met mijn morbide vorm van zelfmedelijden. Vroeger was ik niet zo, vroeger was ik goed voor iedereen. Ik onderhield vriendschappen en belde af en toe met mijn moeder. Tegenwoordig ben ik een egocentrische einzelgänger. Alleen míjn pijn is van belang. Ikke. Ikke. Ikke. Wat ben ik toch een waardeloze vent. Ik sluit mijn ogen, ik heb namelijk geen recht op dit mooie uitzicht. De Franse boeren verbranden dingen die Franse boeren verbranden. Mijn neus is die van een stadskind, maar ik apprecieer de aardse brandlucht. Gelaten sukkel ik dromenland in, denkend aan vroeger, toen ik nog een goede vriend was.

*

Jeff, Skip en Gunther, meer heb ik niet. Mijn vriendenkring telt drie koppen, ik spreek dan ook liever van een vriendentriangel. Jeff komt uit Noord, Skip komt uit Oost, ik kom uit Zuid en Gunther komt uit West. Het was dan ook een wonder dat we allemaal op dezelfde voetbalclub zaten. DWS, Door Wilskracht Sterk, de oude club van Roy Beukenkamp, Frits Flinkevleugel en Ruud Gullit. Het was in die tijd de mooiste club van Amsterdam, zo begin jaren negentig, en wij zaten in een team waar de kenners van het amateurvoetbal nu nog steeds over spreken. De Onoverwinnelijke Smeltkroes. Onze twee spitsen waren Surinaams, het middenveld bestond uit twee Turken en twee Marokkanen en wij, de vier blanken, vormden de ondoordringbare defensie. Tussen de palen stond een boomlange Antilliaan met katachtige reflexen en de lul van een volgroeide mammoet. Onder de douche keek ik altijd met open mond naar zijn geslachtsapparaat, als Wensley door de knieën ging, kon hij het doucheputje raken. 'Jimma,' zei hij dan grijnzend met zijn fonkelende gouden tand, 'maak je school af en scoor een goede baan, want dan heb je geen grote lul nodig.'

Jeff van Lenthe regelt de coke. Voorgoed. Jeff is een noorderling in hart en nieren, dus een maagd wat betreft het betreden van bibliotheken. Onvervalst schorem. Opgegroeid in de Frambozenstraat en tegenwoordig woonachtig in Landelijk Noord. Hij heeft een kast van een huis in Durgerdam en een tatoeage van een fazant op zijn linkerkuit. Wijlen zijn vader was een onderwereldfiguur, 'De Fazant', dit omdat fazanten bruine eieren leggen en heroïnedealers niet veel anders doen. Ik heb zijn vader ooit een keer ontmoet op een verjaardag van Jeff. De Fazant was een dikke man op dure schoenen. Halflang zwart haar. Hij leek op een televisiekok, alleen dan met lekkere wijven. Televisiekoks hebben nooit lekkere wijven, en terecht. Wij, normale mannen, komen thuis na een lange dag werk, ploffen neer op de bank en dan gaat meneer de televisiekok zeggen wat ik moet gaan eten en hoe? Met je tijm en je laurier, rot toch op, ik ben een alleenstaande man. Alleenstaande mannen doen niet aan kruiden.

Skip Donderwinkel is de liefste man die ik ken. Niet dat hij daarom mijn beste vriend is, maar het is een mooie binnenkomer. Skip draait plaatjes onder de naam dj Thundershop en is volgens een Vlaams muziektijdschrift de op 52 na beste dj van de Benelux. Gedurende het festivalseizoen ga ik altijd met hem mee op pad, dan draag ik zijn platen, want Skip draait alleen maar vinyl. 'Ik wil de groeven voelen,' zegt hij dan, high van het leven. 'Cd's hebben geen rimpels, vinyl heeft dat doorleefde, het heeft een verhaal.' Veelal knik ik dan ongeïnteresseerd, maar ik begrijp hem donders goed. Polly was een groef, een oneindig doorlopende groef vol onbetaalbare geluidsinformatie in een wereld vol gebrande cd's en hun slordig met Edding gezette letters.

Gunther Hartholt is de lelijkste van het stel. Niet dat schoonheid zo belangrijk is in een vriendschap, maar het is toch fijn als je een vriend hebt die nog onooglijker is dan jijzelf. Gunther heeft dun blond haar, o-benen en van die besneeuwdebergtopellebogen. Psoriasis is geen grap, maar soms noemen we hem oliebol, omdat hij altijd onder de poedersuiker zit. Ondanks deze huidaandoening is Gunther een extreem succesvol zakenman. Hij is eigenaar van drie kroegen, om en nabij het Leidseplein. 'Ik word echt helemaal lijp van al die toeristen op het Leidseplein. Het is een prachtig plein, ons plein, we moeten het terugclaimen. Het Leidse moet weer van de Amsterdammers worden,' zei hij nog geen vier jaar geleden. Boven de ingang van zijn meest succesvolle kroeg, Schilfers, hangt nu een bord dat ons tot de dag van vandaag aan deze uitspraak herinnert. *'Are you a tourist? If so, please fuck off to another pub or the Anne Frank House. Thank you.'*

We zitten vaak in Schilfers, alwaar we over alles behalve gevoelens praten. De donderdagen en de zondagen zijn van ons. Daar komt niemand tussen, echt niemand, aangezien we alle vier vrijgezel zijn. Jeff is weleens op een blauwe maandag in het huwelijksbootje gestapt met een Argentijnse parttimepaaldanseres, maar Rosa bleek toch niet echt van de man achter Jeff te houden. Skip, dj Thundershop, maakt veelvuldig gebruik van zijn 52ste plek op de dj-lijst en neukt gevolglijk aan de lopende band. Vooral als we met z'n tweetjes op stap gaan, is het hek van de spreekwoordelijke sletjesdam. Hij is nummer 52 en ik, ik ben een redelijk bekend mislukt schrijver. Dan rijden we naar de plek waar hij moet draaien, ik noem een Coevorden, en dan bestormen we Coevorden met onze roemrijke vleeszwaarden. 'Hé, dat is dj Thunder-nogwat!' hoor je dan, nagenoeg in canon, uit de snackbars komen. 'En dat ene oversekste schrijvertje,' vervolgt de plaatselijke leernicht die net twee kipcorns naar binnen werkt. Meestentijds eindigen we de avond ergens in een zuipkeet met de vier lekkerste wijven van het bewuste dorp. Die neuken we dan, terwijl de beste dichter van het dorp zijn werk aan mij voordraagt, omdat hij denkt dat ik een goed woordje voor hem zal doen bij mijn uitgever.

Jeff, Skip en Gunther, meer heb ik niet. Het zijn mijn enige drie vrienden in een wereld vol schimmige kennissen. Voor dit drietal vang ik met alle liefde een kogel op en voor de rest bel ik de ambulance. Toch heb ik ze de afgelopen tijd onvoorstelbaar verwaarloosd. Dit omdat ik mezelf, als ik pijn heb, hermetisch afsluit. Ik wil niet opgevrolijkt worden, het liefst pootjebaad ik in mijn eigen tranen en het enige wat ik dan wil is worstelen met mijn nietswaardige spiegelbeeld. Helemaal alleen. Mijn lijdensweg is geen carpoolstrook.

In mijn zelfgemaakte isoleerceel denk ik vaak na over het nut van vriendschap. Mannenvriendschap welteverstaan, de vriendschap tussen vrouwen snap ik wel. Zij praten, steunen en praten. Mijn vrienden en ik praten niet, althans niet over de dingen die men belangrijk acht. We zijn vier opkroppers, geen probleemoplossers, we doen dingen samen om de problemen voor even te vergeten. Dat is mannenvriendschap. Bowlen. Zuipen. Gamen.

Lachen. En als je dan weer thuiskomt merk je dat er geen ene kut is veranderd. Maar ik hou van ze, ik hou van onze momenten. Als we met z'n vieren de Melkweg of een andere club binnenlopen, lijkt alles in slow motion te gaan. Niemand doet ons wat. Vrouwen staren en de mannen gaan aan de kant. Op dat soort momenten is de stad van ons. Die tijdelijke en imaginaire onaantastbaarheid, dat is mannenvriendschap. De club binnenlopen en je verheven voelen, alleen omdat je met je vrienden bent.

Aan de andere kant stoor ik me ook vrij vaak aan mijn vrienden. Ik heb het gevoel dat ze stilstaan, niet verder willen komen. Jeff blijft dealen tot de kist, Skip blijft voor altijd nummer 52 en Gunther, ach die Gunther. Stagnatie inspireert niet en ik wil geïnspireerd worden. Ik ben schrijver, godverdomme. Ook wat relaties betreft zetten we elkaar niet onder druk zoals vrouwen dat doen. Als al haar vriendinnen getrouwd zijn, dan wil zij ook trouwen. En snel ook. Al mijn vrienden zijn vrijgezel, dus mijn burgerlijke staat is niet van belang. Ik hoef niet te trouwen, want er staat geen druk op de ketel. Dit terwijl ik al dertig ben. Iedereen om mij heen heeft kinderen, iedereen behalve mijn vrienden en ik. We zijn laatbloeiers en ik ben gewoon heel erg bang dat mijn gabbers nooit zullen bloeien. Varens. Varens bloeien niet. Opa zei altijd: 'Als je niet geprikkeld wordt, is het geen vriendschap maar een dwarslaesie.'

Maar ja, net alsof Jeff, Skip en Gunther zoveel aan mij hebben. Alsof ik onafgebroken prikkel en nooit stagneer. Mijn schrijfcarrière is een levend standbeeld, af en toe zit er wel beweging in, maar alleen omdat ik schrik van een laagvliegende duif of een Noord-Afrikaans ogend straatschoffie. Ik heb geen talent en als ik het al heb is het uiterst fragiel, een mislukkeling. Ik mag God op mijn blote knieën danken voor zulke eersteklas vrienden. James. Jeff. Skip. Gunther. Door Wilskracht Sterk.

*

99

Er gaat een hand door mijn gemillimeterde haar. 'Lig je lekker te slapen, opa?' vraag Aafke, terwijl ze zichzelf uitrekt.

'Niet echt lekker, nee. Als ik weer in Amsterdam ben, bel ik mijn vrienden. Ik heb die gasten al een paar weken niet gezien. Om de een of andere reden vergeet ik soms waar ik vandaan kom. Alle mensen die het goed met mij voorhebben, ben ik kwijtgeraakt of raak ik langzaamaan kwijt.'

'Je hebt ons toch,' zegt Roemer. 'O en James, we gaan niet meer naar Parijs, we zijn er zelfs al voorbij,' vervolgt hij, 'we gaan met je mee. Jij kan dit niet alleen doen. Aaf en ik gaan met je mee. Trouwens, we hebben net gezoend. Om en nabij Orléans. In een weiland, onder de sterrenhemel. We zijn verliefd. Sorry jongen, maar eindelijk krijg ik eens het meisje.'

Ik geef hem een respectvol tikje op zijn rechterknie. 'Ben trots op je, Roemer. Jij hebt gewonnen.'

12

'Jij hebt wel een adresje in Frankrijk voor me zei je, dat zei je toch?' Ik ben aan de telefoon met Van Groningen. 'Wat doe ik dan in godsnaam op een camping? Ik dacht dat je een welvarend man was, dat je me in een chateau zo groot als het Centraal Station zou stoppen. Dit is een mobilhome, Van Groningen, zie ik eruit als een kamper? Je had me net zo goed naar Bakkum kunnen sturen. Lekker klaverjassen met tante Cor en ome Nol, terwijl hun zoon Rodney in de naastgelegen caravan ligt te origamiën met de schaamlippen van het aangetrouwde nichtje.

'Gedraag je nou niet als een diva, James. Hoe is het uitzicht? Ga eens op die rotsen staan.'

Stampvoetend loop ik door mijn zanderige voortuin in de richting van een rotspartij, scheldend en morrend. 'Hier kan ik toch niet schrijven, man. Godverdomme!'

De wind waait langs mijn gezicht, ik zie de zee liggen. Een oude man met een vlieger staat diagonaal op het strand, zijn bruine hond rent achter een zeemeeuw aan. De golven bedekken het zand, ze zuchten 'we zijn er' en rollen weer terug de zee in.

'Fuck, wat is het hier mooi, Van Groningen. Ik zie een vuurtoren en joggende vrouwen. Jonge vrouwen. Dit is perfect, man. Alleen die mobilhome is een gedrochtelijk iets. De bankjes zijn blauw-wit met kleine zeilbootjes erop. De gordijnen zijn geel met kleine zeilbootjes erop. Het bed is oranje met kleine zeilbootjes erop. Het servies is wit met...'

'Ja, ja, ik snap het nu wel.'

'Nee, je snapt het niet. Ik moet een maand gaan leven in de mobilhome van een pedofiele zeilboot.'

'Ga gewoon schrijven, Worthy. In het keukentje staan vier kratjes bier en de koelkast zit vol met lekkere dingen. Kus.'

Aafke komt aangehold. 'Deze camping heeft echt alles. Tennisbanen, een sauna, zwembaden, zo'n schattig klein supermarktje waar alles teringduur is en een restaurant.' Ze springt in mijn armen.

'Ja maar... jullie blijven hier niet, hoor. Ga lekker in een hotel zitten, ik betaal. Dan komen jullie om de dag wat broodjes brengen en dan lunchen we samen. Geniet er gewoon van, we zitten hier in de Cognacstreek. Maak er iets moois van, samen met Roemer.'

'Maar ik ben helemaal niet verliefd op Roemer,' zegt ze gepikeerd, 'die gast is een joekel van een droogkloot. Bovendien hè, James, wij hebben vandaag onveilig gevreeën, ben je niet bang of zo?'

Ik pak twee biertjes uit de bovenste krat, open ze en gebaar naar Aafke dat ze even op mijn schoot moet komen zitten. 'Weet je wat het is, lieverd. Vandaag was te magisch. Het lot heeft ons samengebracht, het lot zorgde ervoor dat Roemer boos werd en ons achterliet. Datzelfde lot doet echt niet aan enge geslachtsziektes. Onze samenkomst had zoveel voeten in de aarde voor hem, waarom zou hij dat gaan verpesten met zoiets banaals als chlamydia? Jij bent schoon en ik ben schoon. Geloof me.'

'Overtuigend, maar dom,' zegt ze, terwijl ze bier op haar broek morst.

'Jij gaat gewoon even een tijdje met Roemer optrekken voor mij en als we terug in Nederland zijn ben jij van mij en ik van jou. Je bent een actrice, toch? Nou, Roemer speelt mij.'

Aafke neemt een slok bier, drukt haar lippen tegen de mijne en laat de Kronenbourg in mijn mond vloeien. 'Jij bent mijn droomvent, James, ik weet het zeker.'

Ik slik haar bier door en knik met mijn hoofd. 'Beeldschone Aaf, ik ben een nachtmerrie. Jouw neefjes en nichtjes dromen over mij en worden dan badend in het zweet wakker. Mijn leven is verwerpelijk, mijn karakter goddeloos. Vlucht, voor een paar maanden. Daarna, als het boek af is, kom ik misschien een heel klein beetje in de buurt van je droomman.'

'Nee, nee, nee. Jij James, jij bent een lieverd. Jouw hart is een wolkenkrabber zo groot, als ik erop ga staan kan ik ongetwijfeld Parijs zien liggen. Stop met dat slechte gepraat over jezelf. Je bent beter dan dat.'

Volgens Polly zou ik altijd haar droomman zijn, totdat ze op een dag wakker werd. 23 juni om precies te zijn. Toevallig de dag voor mijn dertigste verjaardag. Ze straalde niet meer, ze was Tsjernobyl af. De teleurstelling in haar ogen wisselde zich af met rauwe haat. 'Ik denk dat we uit elkaar moeten, jij bent niet gelukkig en ik ook niet.' Polly had zeker een punt. 'Dat samenwonen heeft ons echt genekt,' zei ik, 'sinds je hier woont, ben ik mijn vrijheid kwijt. Het is allemaal zo beklemmend. Neem bijvoorbeeld gisteren. Ik ben vier keer gaan douchen, omdat ik daar alleen kan zijn. De douche, dat glazen huisje, daar voel ik me de laatste tijd op mijn gemak. We waren vroeger zo belachelijk leuk samen, maar nu. Jezus. Soms sta je op een feest en dan zie je opeens een meisje bij de dj staan. Ze kan helemaal niets, maar ze staat er wel. Dat zijn wij. We zoeken aandacht, geen liefde of respect.' We barstten allebei in huilen uit. Weg. De mooiste anderhalf jaar van ons leven. Mijn leven. 'Man, wat hield ik van jou. Weet je nog die ene keer dat je naar Marokko was? Ik hoopte serieus dat je oma doodging, want dan zou je terugkomen en waren we weer bij elkaar.'

Roemer en Aafke rijden weg, de rode Volvo laat een gigantische stofwolk achter. Arme Aafke. Ik loop naar mijn mobilhome, pak mijn oude laptop uit de koffer en klik twee keer op de tekstverwerker. Het zonnetje schijnt dus ik ga buiten op het terras zitten. Schrijven. In films lijkt het altijd zo romantisch, dat hele schrijfproces: flesjes whisky, een spinnende Blauwe Rus op het bureau, zo'n comfortabele lederen psychiatersstoel, een loopse schoonmaakster uit Brazilië die je sokken oprolt; maar zo werkt het helaas niet. Nog niet. Het is geen glitter en glamour maar RSI in de polsen, brandende ogen, eenzaamheid, zelfpijniging en heel veel vliegende mieren. In de nazomer stikt het altijd van die beesten, maar ik vind het prima zo, qua symboliek. Het zijn namelijk de mannetjes en vruchtbare vrouwtjes die me nu om de oren vliegen. Ze zijn op bruidsvlucht. Na de seks sterft de man, terwijl het vrouwtje overwintert. De insectenwereld is één grote Griekse tragedie.

Het is hier mooi op de rotsen. Van Groningen had gelijk, zeker als de zon ondergaat. De Franse Atlantische kust oogt rustig, grote schepen gaan van links naar rechts. Wat ze vervoeren weet ik niet, maar erg snel gaat het niet. De horizon lijkt van stroop. Over het strand loopt een oud echtpaar, hand in hand. Ik ben dol op verliefde stelletjes van boven de zeventig. Twee okergele bodywarmers voor de prijs van één, op blote voeten, ongegeneerd vooroorlogs tongend. Oude mensen tongen anders. Wij jonge mensen tongen zoals mensen in films tongen. Ingetogen, lafjes en berekenend. Oude mensen tongen als een onderwater-Hotwheels baan. Morgen ga ik beginnen met schrijven. Vanavond ga ik de kroeg in. Pastis drinken, rugby kijken en weer terug naar de camping lopen, verlicht door de sterren. Ja, morgen begin ik met schrijven. Morgen.

*

Saint-Georges-de-Didonne is geen Amsterdam. De straten zijn leeg, de boulevard is uitgestorven, toch hoor ik leven ergens in de buurt van het kerkje. Vol verlangen stiefel ik in de richting van het godshuis. Mensen, ik heb mensen nodig. Rumoer, voetstappen, gelach. Mensen geven mij hoop en hoop is nuttig.

Op het pleintje voor de kerk staat een bescheiden kermis. Een klein ventje, geschminkt als een clown, is de enige in een botsauto. Hij kijkt verveeld en botst soms uit pure wanhoop tegen een lege botsauto aan. Ik koop een kaartje en neem plaats in een helblauwe rammelkast. Op de voorkant staan oranje vlammen. Ik geef gas. De minderjarige clown lacht zijn melktanden bloot en beukt frontaal op me in. Zijn gouden kar komt eventjes van de grond, de glimlach maakt plaats voor een ongenegeerde bulderlach. Steeds meer mensen stappen in een botsauto, ze schreeuwen vrolijke Franse woorden naar mijn hoofd en vliegen doldriest op elkaar in als kamikazepiloten. De plaatselijke dj merkt ook op dat het gezellig gaat worden en zet een plaat op. Patrick Bruel brult uit de boxen, 'Casser la voix', ik voel me thuis. Dit is geluk. Lampjes flikkeren, kinderen giechelen en ik heb al wat moeders gespot. Een dikke man in een U2-shirt steekt zijn hand uit, ik geef hem een high five en ram de clown in zijn staart.

Naast de grijpmachines vraagt een vrouw om aandacht, het is overduidelijk, ze is aanbidders aan het verzamelen. Als dit rondje afgelopen is, stap ik op haar af. Mijn Frans is gebrekkig en haar Engels vast idem dito, maar als je een kleedje over een taalbarrière legt is het ook gewoon een bed.

We zitten op een duin, ik wijs naar mijn borst, 'James', en ik wijs nog een keer, 'James'. Ze doet hetzelfde, 'Elodie'. Elodie ziet er een beetje slonzig uit, maar ze heeft iets wat alle Franse vrouwen van buiten de stad hebben. Dat ongekunstelde en zelfzekere, ze hoeven zich niet uit te sloven. Voor niemand. Deze bewuste madame draagt een trainingspak en een schattig mutsje. Akkoord, ik ben ook niet de meest modieuze van het stel. Het gesprek verloopt ietwat stroef, maar onze ogen spreken boekdelen. Ik wijs naar de zee, om vervolgens de schoolslag te doen. Ze knikt en duwt me van de duin.

Het is tegen tienen als ik in mijn boxershort in de branding sta. Elodie heeft de pijpen van haar trainingsbroek opgerold en staat te bibberen in een zwarte bh. Ik raak in de war van haar grootsheid, maar ja, eerlijk is eerlijk; alle vrouwen brengen mij van slag. De oceaan geeft ons een ijzige handdruk. Mijn testikels kruipen dicht tegen mijn onderlichaam aan, wat een ingenieuze gang van zaken. Alleen snap ik niet waarom mijn oren en neus niet hetzelfde doen als ik in de winter op de tram sta te wachten. Elodie gaat als eerste kopje-onder, het haantje, ik tel tot drie en duik prompt in de grootste golf die ik zie.

Opgewekt en zo goed als onderkoeld sprinten we in de richting van mijn mobilhome. Haar warme Franse rondingen glinsteren in het maanlicht en mijn biologische klok tikt als een specht die een metronoom neukt. Mijn ongeboren zoons staan in de rij, ze willen emigreren naar haar meer dan innemende buikje. Dit moet stoppen, deze ongeëvenaarde losbandigheid, het is genoeg geweest. Seks is niet de zin van het leven. Sinds wanneer is mijn leven een ongelikte pornoklucht?

'Elodie, *demain*. Oké? *Cuisiner. Mon mobilhome. Huit heures.* Oké?' Ze knikt, ik omhels haar en geef haar een handdoek. Godverdomme, wat is mijn Frans slecht.

13

De wolken rommelen en de wind veegt het strand schoon. Frankrijk is mooi, de wereld is mooi, maar ik wil het niet zien. Niet zonder jou. Kom terug, pak mijn uitgestoken hand, restaureer mijn hart. Polly, mijn monumentale schoonheid. Je ogen, poelen van nectar. Gebruik ze. Zie me smeken, oneervol, eer is een gepasseerd station. Met jou was ik gewoon blank, zonder jou ben ik gebroken wit. Alles gaat moeizaam, mijn spieren zijn verkrampt. De vuisten immer gebald, ik vecht tegen de klok, verwachtingen, mezelf en jou. Het leven is een meedogenloze veldslag met bodemloze loopgraven. Weet je nog van dat litteken op mijn been? Jouw litteken. Het was lekker weer en ik had geen korte broek. Dus zette je een schaar in de lange broek die ik aanhad. Geheel per ongeluk knipte je toen in mijn rechterbeen. Vorige week heb ik dat litteken opengesneden. Het is jouw wond en ik zal hem nu voor altijd open blijven krabben. Ik wil niet helen. Dat korstje is het allerlaatste wat ik nog van je heb, het laatste souvenir van onze bloedstollende liefdesgeschiedenis.

Ik begrijp nog steeds niet waarom we uit elkaar zijn gegaan, waarom we niet voor elkaar hebben gevochten. Het einde was zo afstandelijk en apathisch, ik kreeg een familiare afscheidszoen met lippen als ijsblokjes. Toen verdween je, vrijwel direct, het Amsterdamse nachtleven in. Totaal losgeslagen deed je je paringsdans voor de meest trieste figuren. Snelle jongens met hippe montuurtjes, onuitstaanbare sjaaldragers, je klemde je benen om iedereen die de precieze tegenpool van mij was. Ik haat je voor die periode. De vrouw van mijn dromen, mijn leeuwentemmer, was opeens een abominabele lellebel. Ook vind ik het jammer dat je mij niet dumpte in de regen. Als gedumpte heb je simpelweg recht op slecht weer. Stampen in plassen en 'WAAROM, GOD? WAAROM?' blèren, terwijl je je tranen doorslikt. Godverdomme, ik weet nog de eerste keer dat ik je zag. In de tram. In openbare vervoering. Je was een ongeëvenaarde oceaan vol mooiigheid. Je reisde niet, je was aanbidders aan het verzamelen.

Naast mijn laptop staat een fotolijstje. Jij zit erin. Het is mijn favoriete foto. Je staat op de Nieuwezijds Voorburgwal en draagt een witte indiaanachtige jas. Er waait een pluk haar voor je ogen, het is net alsof een windvlaag jaloers is op jouw onmetelijke schoonheid. Door die bewuste pluk haar schemert een verliefde blik, je blauwe kijkers branden gaten in mijn toekomst.

Elodie klopt op de deur van mijn mobilhome. Ze heeft een schaal in haar handen. 'Tiramisu,' zegt ze en ze zet de lekkernij op het aanrecht. Ik pak een fles tequila uit mijn koffer en ga met mijn Franse afleiding op het houten terras zitten. Krekels tsjirpen en onze met alcohol gevulde mokken geven elkaar kopjes. Haar jurkje is kort en ze heeft de kuiten van een doorgewinterde fietser. Ik wil haar wel een keertje zien fietsen. Over de boulevard.

Sommige vrouwen fietsen namelijk zo zeldzaam mooi. Elodie is er denk ik zo eentje. Dat je haar voorbij ziet komen en denkt: stop alsjeblieft met trappen, ik wil in je fietstas wonen als een babykangoeroe.

Onze tongen maken pirouettes in tutu's van speeksel. Haar kussen zijn goed, te goed, het is alsof ik met een hele mooie spiegel sta te zoenen. De tong van Elodie is de schaduw van mijn tong en vice versa. Dit bijzondere schimmenspel is je reinste voorspel. Met mijn tong lik ik een hartje in de pure cacaocoating van haar tiramisu. Als een hondsdolle vampier zuigt ze het tryptofaan uit mijn chocoladespeeksel, terwijl ik met mijn rechterhand een onecht aanvoelende tiet vastpak.

Eten. 'Elodie. *Je réserver fondue de viande* bij de mini-golf.' Haar rondingen verlaten mijn energieveld, terwijl ze nonchalant haar lippen droog veegt.

Elodie draagt een ouderwetse bolletjesjurk, wit met rode stippen. De stoffen probleemhuid wappert losjes. Ravissant. Aan haar voeten zitten kaplaarzen, rood met witte stippen. Ze lijkt op een hele zieke dalmatiër, maar Elodie komt ermee weg.

Aan het einde van het zanderige weggetje spelen vier Franse opa's jeu de boules. De zilveren ballen vliegen door de lucht, overdreven hoog. Waarschijnlijk hebben ze gezien dat er een mooie vrouw aan komt. De mannen zetten de petjes recht, houden de buiken in en zuigen nonchalant op versgeplukte vijgen. Hun manier van vleien oogt enigszins belegen, maar ik respecteer het. Als een man zich niet meer uitslooft voor vrouwelijk schoon, is het einde nabij. De vrouw is dat rode balletje en de man is een jeu-de-boulesbal. We willen allemaal zo dicht mogelijk bij het rode balletje liggen. Het liefst nog aanraken, strelen, ingraven, ook al is het maar voor even. Er staan altijd andere mannen klaar, ijverige mannen met drie glimmende ballen, die je koste wat het kost weg willen ketsen. Niet veel later rol je in de richting van het diepe zand. Onvrijwillig. Langs takjes en glasscherven, terugdenkend aan dat ene rode balletje. Polly.

Soms praat ik tegen onze ongeboren zoon, je weet wel, dat ventje dat we toen, volkomen terecht, weg hebben laten halen. Er zit een tekening van hem in mijn portemonnee. Zo heel af en toe volg ik een cursus, veelal om vrouwen tegen te komen, maar tijdens de tekencursus heb ik dus onze ongeboren zoon getekend. Hij heeft blond krullend haar, groene ogen en een vader die geen handen kan tekenen. Het is een mooi ventje. Ik had hem nu goed kunnen gebruiken, als afleiding, als bewijs dat wij echt iets met elkaar hebben gehad. Af en toe lijkt het net of ik het allemaal heb gedroomd. Ons. Wij. Een fata morgana van een jachtig hart. Een knap staaltje zelfbedrog van het allerhoogste niveau. Jij hebt nooit bestaan. Mijn wanhopige ogen projecteerden een ware liefde op de kale witte muren van mijn huiskamer. Polly. Onze liefde, ongeboren, net als dat kleine ventje.

Soms zit hij op een houten slee en dan trek ik hem door het Vondelpark. Soms snel, soms supersnel turbo, vaak traag. Mijn conditie is een spijbelaar en ik ben druk aan het genieten van sneeuw die uit de lucht valt. Het mooie aan sneeuw is dat het dwarrelt. Op de bonnefooi, alle kanten op, wispelturig. Iedere vlok is een bejaarde vrouw achter het stuur.

Onze zoon heeft geen naam, maar ik noem hem voortdurend Olly. Hij heeft jouw P achtergelaten in de baarmoeder, waarschijnlijk had onze dreumes zijn handjes vol. Olly lacht, logisch, dit is de eerste keer dat hij sneeuw ziet. Ik huil, stiekem, dit gaat niet de eerste keer worden dat hij papa ziet regenen. Mijn hart smelt, de sneeuw smelt, mijn ongeboren zoon smelt. Ik sta alleen in het Vondelpark met een lege slee 'Vader Jacob' te neuriën, terwijl de niet-dromers naar hun werk fietsen.

Ik denk vaak terug aan die ene keer in de seksbioscoop. Jij en ik frank en vrij seksend. Het was een ranzige cabine, maar wij maakten een hartstochtelijke cocon van dat scabreuze rukhokje. Vanaf dat moment wist ik het zeker, jij was van mij. Jij was mij. Op het zaad van toeristen lieten wij onze onbegrensde geilheid botvieren. Compleet verknocht was ik aan jouw lichaam. Terwijl de proleterige porno van het vlekkerige scherm af spatte, bedreven wij de reinste liefde. Het was geen neuken. Nee, we wilden niet komen. We namen alleen afscheid van het enkelvoud.

Godverdomme, het is zo vermoeiend, Pol. Wie ik de laatste tijd ook tegenkom, allemaal hebben ze nog wel een hartenvrouw voor mij achter de hand. Alleenstaande vrouwen die mij weleens zouden kunnen completeren. Ik voel me net een trekhaak en iedereen heeft wel een krakkemikkige caravan in de schuur staan. Het is natuurlijk een hele eer dat mensen hun meest sneue vriendinnen en familieleden aan mij willen toevertrouwen, maar ik verdien de crème de la crème, het neusje van de zalm, de elite. Ik heb het gehad met de wrakken die op de pechstrook van het leven staan geparkeerd.

Mijn opa was een zeeman, zo'n echte. Hij ging de hele wereld rond. Opa had 'Ceylon' op zijn arm getatoeëerd, want daar waren de hoertjes goed. In Nederland zijn ze niet goed, Polly. Het zijn amateuristische prutsers. Ze kunnen me je niet doen vergeten, nooit, en daarom wacht ik nu gewoon weer op jou. Voor eeuwig, ik heb geen haast. Ooit geef je me het groene licht, appeltjesgroen, net als de eindeloze ogen van onze ongeboren zoon. Geloof mij, op een goede dag maak ik je weer zwanger, jouw baarmoeder is simpelweg mijn eigendom. Zie het als de vrijmarkt op Koninginnedag, ik heb je buikje preventief afgetapet en er staat: BEZET.

14

Elodie en ik lopen over de camping in de richting van mijn mobilhome. Het is donker, maar dankzij een fles Pineau des Charentes zijn we licht in het hoofd. Ze zwalkt over het paadje, alsof we over een mijnenveld lopen en zij precies weet waar de explosieven liggen. Mijn Franse meester mineur, ik voel een klik. Zojuist, tijdens het eten, heeft ze mij uitgelegd wat voor werk ze precies doet. Elodie is een kunstenares, ze schildert en ik mag morgenavond haar atelier bekijken. En vanavond? Vanavond gebruik ik haar kleurloze engelengezicht als palet. Even lekker ouderwets mengen. Haar zweet en mijn zaad maken parelwitte waterverf.

Ze doet de deur van mijn koelkastje open en blokkeert deze met een pak sinaasappelsap zodat hij niet dicht kan vallen. De donkere mobilhome wordt nu alleen verlicht door het lampje van de koelkast, alsof we een kleine privémaan tot onze beschikking hebben. Ik pak een fles olijfolie van het aanrecht en giet een paar flinke eetlepels over haar borsten. Terwijl ik een condoom omdoe marineert ze haar rondingen vrijmoedig. Elodie glinstert, ze lijkt op een druipende discobal. In slow motion neemt ze plaats op het aanrecht, op het moment dat haar billen in aanraking komen met het koude keukenblad schiet ze eventjes omhoog. Met allebei haar benen op het aanrecht wacht ze op de eerste stoot. De kunstenares kreunt verrukkelijk, de littekens onder haar plastieken borsten spelen Pong met haar tepels.

Polly, ik ben ziek. In jouw afwezigheid deug ik niet. Het is een onmogelijke situatie. Hoe kan ik je ooit terugwinnen als ik mezelf ben verloren? Momenteel sta ik in een Franse kunstenares. Haar borsten zijn nep, het hele spektakel is nep. Ik wil haar niet, ik doe dit alleen maar om herinnerd te worden aan jouw superioriteit. Dit is geen losbandige seks, het gaat veel dieper dan dat. Ik wandel over een menselijk autokerkhof en neem soms plaats in een roestig wrak. Dan sluit ik mijn ogen en bedenk hoe hard jij kan. Het is een vergelijkend warenonderzoek, bijzonder onnodig, want ik weet allang dat jij de ware bent.

Ik mis het spontaan inchecken in een hotel, zonder koffers, puur en alleen omdat we samen in bad wilden. Thuis hadden we geen bad, wij verdienden een bad. Als ik geld had, gingen we naar het Okura, maar meestal gingen we naar een rattenhol in de Damstraat. Een primitief etablissement, een soort overdekte camping vol nepmarmer en kutschilderijen, maar jeetje, wat was het badwater er lekker warm. 'We blijven hier toch niet overnachten, hè?' vroeg je dan. 'Natuurlijk niet. We gaan in bad, jij lakt je nagels op bed en daarna gaan we gewoon weer naar huis.' Op de momenten dat jij je nagels lakte was ik het allergelukkigst. Hoe je daar zat op die hagelwitte lakens, zo gefocust, zo secuur, alsof je een mier aan het reanimeren was. En dat droogblazen oogde zo ontzaglijk zoet, alsof je vingertoppen paardenbloemen waren.

Zoute troost, heden ten dage vind ik alleen nog maar troost in het zoute. Tequila drink je met zout, cocaïne is droomzout, mijn tranen zijn zout en de ongewassen kut van Elodie smaakt naar ziltig zeewater. Zout verzorgt, zout heelt. Mijn kin rust op een snijplank, haar benen rusten op mijn schouders. Ik kwijl. Krankzinnig. Goede seks is niets minder dan debielmakend. Alsof de binnenkant van je schedel smelt en de inner-mongool het lichaam tijdens het klaarkomen verlaat. Elodie neukt mijn hersenen tot soep.

Voor het keukenraam staat een spiegel, ik wil niet kijken maar ik zie mezelf toch. In de rechterbovenhoek zit een sticker, iets over een nabijgelegen pretpark. De mascotte, een jolig kijkende aap, zit in een achtbaan. Niet kijken! De spiegel is eerlijk. Zweetdruppels glinsteren in mijn borsthaar, maar mijn ogen, mijn blik. Uitgestorven. Leeg. Ogen als een spookstad. Ik trek mezelf terug en verlaat haar delicate drijfzand. Teleurstelling maakt zich van haar meester, Elodie wil vuurwerk. Oké. Ik trek mezelf af, liefdeloos, ze gaat door de knieën. De ogen dichtgeknepen alsof ze tegen een snijdende wind in fietst. Wat een schattebout, wat een ongehoorde luxe. Mijn Franse vlam slikt alles door. Grote meid, Elodie. Grote meid.

Ik sprint de mobilhome uit, poedelnaakt, in de richting van de zee. De allergrootste zoute troost. Kapotgetrapte schelpen snijden onleesbare boodschappen in mijn voeten en mijn halfslappe lid slingert spirografische patronen in de ijle zeelucht. Het water reinigt mijn onfatsoenlijke karkas, het prikt. Ik spreid mijn armen theatraal en laat mezelf achterovervallen. Polly deed dat altijd als we samen in bad gingen. Het had iets religieus, ze was de dopeling en de doper. 'Ik doop u in de naam van de Vader, de Zoon en de Heilige Geest,' zei ik dan plechtig, terwijl ik met een oude tandenborstel door mijn baard ging.

Je vraagt je vast af waarom ik dit boek schrijf. Wat mijn doel is. Probeer ik je terug te krijgen of probeer ik het juist af te sluiten, het een plekje te geven? Eerlijk? Ik weet het zelf ook niet meer. Zie het gewoon als de langste liefdesbrief die je ooit zult ontvangen. Een ode aan ons, een tijdcapsule die de mensen van de toekomst moet laten zien dat liefhebben leuker is dan oorlogvoeren met atoomwapens. Als alle hoop is vervlogen bieden wij soelaas, ons verhaal, mijn obsessie.

Er staat nog steeds een prullenbak naast mijn wc. Die ene die jij toen hebt gekocht op een vlooienmarkt in Noord. Het is een wanstaltig ding met gietijzeren paarden, maar ik kan hem eenvoudigweg niet weggooien. Je was zo trots op jezelf die dag. De verkoper vroeg vijf euro, maar je kreeg hem voor twee. 'Ik ben een onderhandelaar van nature, afdingen, laat dat maar aan mij over,' zei je een tikkeltje patserig. Onbekend met het feit dat ik die aardige man al drie euro had gegeven. Af en toe kijk ik met verbazing naar die prullenbak. Grotendeels omdat hij al maanden leeg is. Ik begin me langzamerhand een beetje schuldig te voelen, maar ja, wat gooit een alleenstaande man weg tijdens of na toiletbezoekjes? Lege wc-rollen? Die gooi ik nooit weg, daar maak ik krokodillen van voor ons ongeboren kroost.

Waar ben je nu? Wat doe je? Waar ga je straks over dromen? Ik ben ononderbroken met jou bezig. In mijn hersenpan is een vragencircus gaande. Ik jongleer met geruststellende antwoorden, maar de waarheid steekt met kop en schouders boven alles en iedereen uit. De waarheid loopt op stelten. Waar je bent? Thuis, in bed, met hem. Wat je doet? Met hem. Waar je straks over gaat dromen? Dat je een stewardess bent. Daar droom jij altijd over. Vliegen. Ik weet nog goed dat wij voor het eerst op vakantie gingen. Naar Glasgow. Je stoorde je aan mijn vliegangst. 'Geef jezelf toch eens over, James. In jouw fantasiewereld, daar waar je schrijft, heb je misschien alle touwtjes in handen, maar in het echte leven niet. We gaan vliegen en als je het niet leuk vindt, neem je maar wat slaappillen in.' Ondanks het feit dat ik in mijn broek scheet moest ik toch even lachen. Slaappillen innemen tegen vliegangst? Dat is bijna hetzelfde als slaappillen innemen tegen verkrachting. Alsof kerosine niet brandt in dromenland.

Misschien waren we wel te gelukkig. Geluk gaat vervelen. Voorspoed is eentonig. Gelukkig zijn is een streven, geen bezigheid. Onze relatie was zo goed als perfect, het enige wat er af en toe aan ontbrak was ruzie. Een ouderwets potje bonje. Vroeger was ik nog wel van het opkroppen, dan kon ik opeens exploderen. Maar er viel helemaal niets op te kroppen met jou. Alles was cool, alles was ijsbergsla. Stiekem denk ik dat we allebei op zoek waren naar ruzie. Ik denk dat we het erg vonden dat we nooit botsten. Nogal wiedes. Onze samenleving drijft op ruzie, conflicten worden uitgelokt, religies gaan met elkaar op de vuist en wij, wij voelden ons klaarblijkelijk te klef, te zoet, abnormaal. Misschien had ik wat vaker de macho uit moeten hangen, lekker schelden of zo. 'Polly, jij bent een talentloze zeug!' Of misschien had ik je wat klappen moeten geven, ja, wellicht waren we dan nog bij elkaar geweest.

Het is denkbaar dat ik gewoon geen ruzie meer durfde te maken. Eerlijk is eerlijk, bijna al mijn relaties gingen uit na een ruzie die ik startte. Een van mijn favoriete exen zei altijd dat ik ruziemaak als een vrouw. Ik ben ijzersterk in het erbij halen van dingen die helemaal niets met de bewuste kwestie van doen hebben. 'James, waarom heb je de afwas niet gedaan? Die borden staan er al sinds vorige week vrijdag.'

'Kom op zeg, weet je hoe duur jouw verjaardagscadeau was? Het heeft er niets mee te maken, maar wat kreeg ik van jou? Een godverdomme dvd-set van *Prison Break*? Ik haat *Prison Break*, heb je mij ooit een aflevering zien kijken? Doe jij die afwas maar, dat is dan een soort van verlaat verjaardagscadeau van jou voor mij.'

Eindstand? Ik deed de afwas en met de zachte handen die ik van het afwasmiddel kreeg moest ik twee weken lang mezelf plezieren. Daarnaast gooide ze die dvd-box weg en had ik opeens geen vaderdagcadeau meer.

Weet je wat ik denk, Polly? Ik denk dat jij alleen nog maar aan de slechte dagen denkt. Aan mijn zwakke plekken. Zoals die ene dag dat we allebei vrij waren en we de hele dag naar de Paralympics hebben gekeken, daar denk je vast aan. Dat ik de slappe lach kreeg van verlamde sporters. Jeetje, wat haatte je me toen. Mijn vader en moeder hebben hun zoon echt wel van een puike opvoeding voorzien, respect werd me met de paplepel ingegoten. Maar hoeveel steroïden mijn fatsoen ook slikt, het raakt nooit zo ontwikkeld als mijn lachspieren.

'Dit is toch geen stijl? Ik dacht dat ik een respectvolle vriend had. Waarom krijg jij de slappe lach van rolstoelrugby?' zei je boos.

'Rot op, hoor. Ik bewonder alle mensen die meedoen aan de Paralympics, maar het ziet er af en toe gewoon vreemd uit. Een beetje als *Te land, ter zee en knoop in je zakdoek*. Zo keek ik vanochtend naar het zwemmen. Welke specifieke slag het was weet ik niet meer, maar erg geolied verliep het niet, dus ik gok op de Franse. Sommige deelnemers misten een arm, sommigen waren gedeeltelijk verlamd en een paar stonden met één been in de finale. O, en voor ik het vergeet, ik heb in een ver verleden ook nog eens een kortstondige relatie gehad met een meisje dat een hazenlip had. Wat zij hier precies mee te maken heeft, weet ik ook niet, maar mensen zeggen toch altijd van "ik heb niets tegen Marokkanen, de stalker van mijn zus is een Marokkaan". Nou, ik heb niets tegen gehandicapten, mijn ex heeft een hazenlip.'

Waarschijnlijk vond je het vermoeiend dat ik overal een grapje van maakte. Misschien had ik af en toe wat serieuzer moeten zijn, wat volwassener. Is dat het? Heeft mijn gebrek aan gedistingeerdheid me de kop gekost? Denk voortaan eens aan mijn goede dingen, alsjeblieft, ik smeek je.

Elodie rent over het strand in een van mijn voetbalshirts. Ze tikt herhaaldelijk met haar linkerwijsvinger tegen haar voorhoofd, blijkbaar ben ik gek. Gek of niet, ik ben weer schoon. Het zout heeft mij getroost. Zoals altijd. We lopen terug naar mijn mobilhome. Kapotgetrapte schelpen snijden nog meer onleesbare boodschappen in mijn voeten, maar mijn door het koude water aangetaste lid slingert niet meer.

De volgende ochtend word ik wakker van de regen, ik ontwaak met een erectie. Het blijft een meesterwerk van onze Schepper. Het regent, ik heb een nietsontziende kater, maar fuck it, mijn lul doet het nog.

15

De Franse ochtendlucht is roze van kleur, ik groet de buurman terwijl ik naar buiten stap. Hij is zijn Renault aan het wassen, net als gisteren. Ondertussen maak ik mijn vingernagels proper met behulp van een visitekaartje. Drie van de vier hoekjes zijn al zwart en gebogen, met het laatste hoekje schraap ik mijn beide duimen schoon. Het kaartje is afkomstig van een bloemenkiosk op de Middenweg. De letters zijn dikgedrukt en op de achterkant staat een viooltje. Beeldig. Ik breng het stukje karton naar mijn neus, maar ik ruik geen bloemen. Wat een gemiste kans.

In de verte zie ik Aafke aan komen lopen. Ze heeft een boodschappentas bij zich. Een stokbrood steekt er fier boven uit en lijkt te fungeren als periscoop voor de boodschappen die zich onder in de tas bevinden. Ik zwaai. Ze zwaait terug. Ik zwaai nog een keer.

'Hoe is het, jongen?' vraagt ze, terwijl ze een chocoladecroissant aan me overhandigt.

'Het is moeilijk. De grens tussen leven en werk is weg, en dat is nog zacht uitgedrukt. Wat is echt? Wat is fantasie? Alles is waanzin, Aafke. Alles. Waar ben ik mee bezig? Het voelt alsof ik mijn pijn aan het uitmelken ben, twijfel en verdriet zijn geen emoties meer, het zijn uiers.'

Aafke pakt mijn hand vast. 'Vandaag gaan we leuke dingen doen. Vergeet dat boek, voor even. Ik heb een plan gemaakt.'

'En Roemer dan?' vraag ik. 'Waar is Roemer?'

'Hij heeft gisteren op de boulevard een pannenkoek gegeten, met pure chocolade, nu ligt hij met een voedselvergiftiging in bed,' zegt ze lachend. Er klinken voetstappen in de mobilhome, Elodie verschijnt in het keukenraam.

'Jij ongelooflijke geilpeuk,' fluistert Aafke.

'Dat is Elodie, een vakantieliefde, mijn helende curiositeit. Ze schildert en inderdaad, ik zie je al kijken, dat zijn geen echte borsten.'

Aafke en ik lopen door een weiland. 'Waar gaan we naartoe?' vraag ik ongeduldig.

'Naar een cognacproeverij,' kakelt ze giftig.

'Ben je nu boos? Vanwege Elodie? Schat. Jij slaapt met Roemer. Zij is mijn plastieken prinses en hij is jouw kleurloze keizer. Dus laten we nou niet onzeker gaan doen. Wat jij en ik hebben is magie. Die twee, dat zijn menselijke kruiken, ze geven warmte, wij geven elkaar een reden om op te staan.'

'Roemer is trouwens best goed in bed, groot, ja, vooral groot.'

Ik lach. 'Moet ik nu gaan twijfelen aan de grootte van mijn plasser? Kom op nou zeg. Hoe oud ben je, Aafke? Met je gapende flubberkut. Kan je gaan lachen, maar het is echt een onmenselijke kloof. Het lijkt wel een vliegtuighangar.'

Een volgend moment zit ik met een bloedneus in het gras.

'Sorry James, ik reageerde misschien een beetje te fel, maar ik ben gewoon heel erg onzeker over mijn kut.'

'Nogal wiedes!'

Ze balt haar vuist voor de tweede maal.

'Nee, grapje, je hebt een prachtige kut. Een gaudiëske gleuf. Echt.'

Tientallen druppels bloed verlaten mijn reukorgaan en maken kennis met de Franse aarde. Ik moet gelijk aan mijn overgrootvader denken. De opa van mijn vader was beroepsmilitair. Een sergeant, totdat hij een onnodige vechtpartij begon, daarna was hij opeens korporaal. Op 17 juli 1916 liep hij met vier andere leden van The King's (Liverpool Regiment) door het Franse landschap. De godsgruwelijke Slag aan de Somme was in volle gang. Een hel op aarde.

Net ten zuiden van Fricoud, twee maanden voordat de eerste tanks werden ingezet, stuitte hij op Duits granaatvuur. Overgrootvader James was vierendertig jaar, al is mijn vader van mening dat hij nog jonger was. Mijn leeftijd dus. Veel van die jongens logen over hun leeftijd zodat ze mochten meevechten, zo zat de wereld toen nog in elkaar. Het schijnt zelfs dat hij in 1900 al heeft gevochten in India, hij was toen achttien. Sterven voor je land, het was een eer. Door loopgraven banjeren, in niemandsland, niet wetende dat het tactisch superieure Duitse Keizerrijk je al in het vizier heeft. Het Britse bloed vloeide als rode wijn zijn over lauwe fish-and-chips. Het was een nog grotere slachting dan de Slag bij Waterloo, een fiasco, er viel voor mijn arme overgrootvader geen eer te behalen.

Papa en ik zijn nog een keertje naar hem gaan zoeken in Picardië. Van 's ochtends vroeg tot 's avonds laat, van begraafplaats naar begraafplaats. Uiteindelijk zagen we zijn naam staan in Thiepval, op het 46 meter hoge The Thiepval Memorial to the Missing of the Somme. Een indrukwekkend bouwwerk van de legendarische Sir Edwin Landseer Lutyens voor de vergeten soldaten van Groot-Brittannië en zijn voormalige koloniën. De mannen zonder graf. De slaven van de loopgraven. Korporaal James Pugh. De man met dezelfde naam als mijn opa. De man met dezelfde naam als mijn vader. De man met dezelfde naam als ik.

'Ik ben te slap voor oorlog, aan mij zou je niets hebben,' zeg ik, terwijl ik mijn neus dep. 'Mijn vader zou het wel kunnen, oorlog, hij kan een autoband verwisselen. Hij is een man. Ik? Ik denk veel te veel na, ik vermijd conflictsituaties. Wie schiet ik dood en waarom? Heeft die man hobby's? Is ie momenteel verliefd? De opa van mijn vader had geen tijd om na te denken, hij stond tot zijn middel in de modder, omringd door lijken en uitwerpselen. Ik had het nog geen minuut uitgehouden in die doolhoven van de dood.'

'Wat nou als de vijand Polly had? Zou je dan niet vechten?'

Aafke heeft een punt. Vechten voor een land? Nooit. Vechten voor de liefde? Ten volle. Ik zou oorlogvoeren als Christopher Walken in *The Deer Hunter*. De oorlog zelf zou ik wel kunnen uitzitten, gedreven door de liefde, maar die geestelijke nasleep zou ik niet trekken. Het personage van Walken bleek uiteindelijk te gevoelig voor de onmenselijkheid van oorlog en verdronk op den duur in een nietsontziende zee van heroïne en Russisch roulette. *Di di mau. Di di mau.*

We zitten op een picknickkleedje, de zon kleurt mijn neus langzaam rood en Aafke geniet van een romig stuk brie. Haar tanden boren gaten in het zachte zuivelproduct, schimmel eten is nog nooit zo enerverend geweest. Ze draagt een dure zonnebril, ik flirt schaamteloos met mezelf in de glazen.

'Ik kan verliefd op jou worden, Aafke. Hier en nu. Moeiteloos. Kijk ons nou zitten. Jij en ik in een weiland. Jij kan mij gelukkig maken. Honderd procent. Vandaag ben ik van de procenten, want als je procent achter een getal zet, lijkt het net een feit. Een volwassen nijlpaard bestaat voor drieënveertig procent uit rabarber. Zie je?

Liefde staat voor mij momenteel gelijk aan de weerzinwekkende nacht voor Sinterklaas in 1987. Ik hoorde wat gerommel in de huiskamer en ik dacht natuurlijk gelijk dat het Sinterklaas was. Dus ik pakte mijn op school gemaakte tekening en liep verheugd de gang in. De deur ging open en daar stond mijn vader, naakt, een radiografisch bestuurbare auto in mijn bootschoentjes te proppen. Sindsdien geloofde ik niet meer in Sinterklaas, en doen radiografisch bestuurbare auto's mij altijd aan mijn allereerste onderkomen denken: de klamme zak van vaderlief. Maar jij, Aafke, jij kan mij weer doen geloven. Jouw baard is echt.

Aan de andere kant heb ik gewoon geen zin meer om al mijn geld op één paard te zetten. Ga maar eens met heel je hart achter een paard staan, het is net als dat spel Ezeltje Strekje. Je legt al je liefde op haar schouders, al je loyaliteit op haar rug, je bindt je toekomst om haar poten en op het moment dat je de rest van je hebben en houden aan haar kwijt wil *Ezeltje Strekje!* En daar lig je dan met een gebroken hart, verbrijzelde ballen en een plastieken sombrero.

Als ik nu weer als een naïeve, in sprookjes gelovende lul mijn hart aan de eerste de beste vrouw overhandig, tja, dan ben ik gewoon een ezel. Toch?'

Aafke legt haar hoofd in mijn schoot, in haar bril zie ik de straalblauwe hemel.

'James, ik ben al op je sinds Hazeldonk. Je bent volmaakt. Mijn droomman. Nog steeds. Zelfs nu ik weet dat je die Franse slet hebt lopen krikken.'

Ik slaak een gemiddelde zucht. 'Volmaakt? Hier!' Ik laat haar mijn linkerduim zien. 'Zie je die bult? Ja? Ik ben een dertigjarige duimzuiger. Als het me allemaal eventjes te veel wordt rol ik mezelf op en zuig ik op mijn duim. Uren. Dagen. Het houdt me normaal. Deze duim is een soort van *portable* baarmoeder. Geloof mij, ik ben verre van volmaakt.'

Ze gaat met haar zachte vingers over mijn bebobbelde duim. 'Ik vind het wel schattig en door het duimzuigen heb je ook nog de meest krachtige tongspier die ik ooit heb mogen voelen. Jouw tong hoort in seksshops te hangen.'

'O, is dat zo?' vraag ik, terwijl ik met mijn rechterhand onder haar rokje verdwijn. 'Nu moet ik je zeker gaan beffen? Om te bewijzen dat het echt zo is? Om te bewijzen dat ik het beter kan dan Brusselmans? Hier in het Franse landschap? Met mijn tong in jouw loopgraf? Akkoord. Ik ga je droog likken.'

Herman Brusselmans wordt al jaren gezien als de onbetwiste befkoning van de Benelux, de Dalai Lama van het kutlikken. Ik ben het daar helemaal niet mee eens. Dus als ik klaar ben met beffen wil ik dat de vrouw in kwestie Brusselmans opbelt.

Een aantal jaren terug heb ik via via zijn telefoonnummer weten te bemachtigen. Sindsdien wordt hij zo'n drie keer per week gebeld door een wildvreemde vrouw. 'Spreek ik met Herman Brusselmans? De onbetwiste befkoning van de Benelux? Uw techniek is gedateerd en walgelijk conservatief. Ik ben zojuist klaargekomen op de tong van ene James Worthy, de verlosser. Groetjes, Aafke. p s Uw boeken zijn onovertroffen.'

16

Twee dagen nadat je het had uitgemaakt moest ik werken in Artis. Het was een zomerse dag, zo goed als tropisch. Heel Nederland was naar de kust getrokken, op zoek naar verkoeling en een gezonde gelaatskleur. De dierentuin was uitgestorven, want als het boven de dertig graden is, heb je nou eenmaal niets te zoeken in Artis. Dieren stinken, de natuur riekt, echt, niet alleen otters zweten. Vooral de apenrots was een te vermijden oord. In het nagenoeg kokende water rondom de rots dreef zeker tweehonderd kilo aan apenstoelgang. Dit meer dan mislukte scheikundeproject veroorzaakte een geur zo weerzinwekkend dat het letterlijk de lenzen uit de ogen van een Portugese toerist brandde. '*Maldição!*' snotterde hij aanstellerig, zoals alleen Portugese mannen zich aan kunnen stellen. Ik gaf hem een gratis sleutelhanger, als goedmakertje, maar zijn geëpileerde wenkbrauwen bleven op onweer staan.

Bij de leeuwen rook het nog redelijk fris, waarschijnlijk omdat katachtigen hun drollen niet in het water gooien. De koning der dieren ziet zijn ontlasting niet als badspeeltje, nee, een leeuw is een statig wezen.

Toen werd het opeens zwart voor mijn ogen. Alsof ik een zonnesteek had, ik weet het niet. Vervolgens werd ik wakker op een zanderige plek. Naast mij was een volwassen leeuw zichzelf aan het wassen. Zijn manen leken op de borstels in een autowasstraat. Het beest negeerde mij volkomen. Was het een schreeuw om aandacht of een onverstandig experiment? Het enige wat ik weet is dat dierentuinleeuwen vrij laks reageren op menselijke indringers. En het stomme is dat niemand mijn actie heeft gezien. Niemand. Ja, die ene Portugees vloog nog wel even langs, maar die Iberische zakkenwasser zag overduidelijk niets zonder lenzen. Alsof er een Portugese blinde torenvalk was ontsnapt. Uiteindelijk moest de onfortuinlijke man Artis vroegtijdig verlaten, hij had een pelikaan aangezien voor een pedaalemmer.

Wat ik hier duidelijk mee wil maken, is dat ik zo'n leeuw ben: lusteloos, rustend op een boomstam, nergens zin in. Legio vrouwen klimmen over de muur en wagen zich in mijn hol, maar ik wil eigenlijk alleen maar mijn tanden in jou zetten, Polly. Mijn fotosynthese. Niet dat je met behulp van licht koolstofdioxide om kon zetten in glucose, maar je maakte mijn leven wel degelijk zoeter.

Mijn moeder belt.
  'Dag, jongen.'
  'Hoi, mams.'
  'Hoe is Frankrijk?'
  'Minder rustgevend dan ik had gedacht.'
  'Hoezo?'
  'Vrouwen zijn overal. Het is net pacman.'
  'Pacman?'
  'Ik vlucht van één spook, maar eindig altijd tussen andere lakens.'

'Gaat dit over seks?'

'Soort van.'

'En het boek? Wil dat een beetje vlotten?'

'Ik weet het niet. Waarom bel je?'

'Polly. Ik zag haar laatst op de markt.'

'Welke?'

'Jouw Polly.'

'Welke markt?'

'De Albert Cuyp. Ze was met een andere man. Hij droeg een lange jas en cowboylaarzen.'

'Pete. Zag hij er gezond uit?'

'Hoezo?'

'Ik wens hem iedere nacht voor het slapengaan botkanker toe. Ik wil weten of ik er al mee kan stoppen. Dat dood wensen komt mijn nachtrust immers niet ten goede.'

'Hij zag er kankervrij en gelukkig uit. Polly ook.'

'Hoe gelukkig? Mam, wees eerlijk.'

'Extatisch. Ze is zwanger van hem, James. Zwanger.'

'Ik hou van je. Ik ga even mijn mobilhome schoonmaken.'

'Zoon, je gaat toch geen domme dingen doen, hè?'

'Mam, ik heb verloren. Hij wint. Zij wint. Ik ben een man van dertig. Maak je niet druk.'

'Ik hou van je, jongen.'

'Ik hou van jou, ma. En het kan altijd erger, toch?'

'Hoe dan, James? Wat kan er erger zijn dan dit?'

'Zomergasten met Leo Driessen? Kus op je neus.'

Met een borstelloze bezem sla ik mijn mobiele zomerhuisje aan gort, alles moet kapot. De glasscherven vliegen om mijn oren, ze snijden moeiteloos door mijn gitzwarte aura heen. Het ongecompliceerde koffietafeltje zweeft in de richting van een muur, waar een schilderij hangt. Op het doek staat een hengst afgebeeld, hij galoppeert zelfingenomen door een haastig geschilderd land-schap. Geen van zijn hoeven raakt de grond, het beest voelt zich verheven, de arrogante harddraver. Gelukkig wordt hij niet veel later door een koffietafel geslagen. Hij leeft nog, maar het dier crepeert van de pijn. Dit kan ik niet aanzien. Zo ben ik niet. Ik trek een keukenkastje van de muur en gooi dit, op diervriendelij-ke wijze, in de richting van zijn inmiddels openliggende schedel.

Ontroostbaar sprint ik in de richting van het atelier van Elodie. Mijn voetstappen klinken overdreven hard, alsof ik de aarde boos probeer te krijgen. Slok me op, jij ellendige knikker van het kwaad. Godverdomme. Polly. Het is onze baarmoeder. Mijn on-betaalbare parelketting hangt om jouw baarmoederhals. Waar-om doe je dit? Er groeit nu een talentloze tumor in jouw buik. Ben je Olly al zo snel weer vergeten? Weet je trouwens wel dat ik in de abortuskliniek heb gevraagd of ik hem mocht meenemen? In een potje, net als doppertjes en worteltjes, maar dan in sterk water. Het mocht niet. 'U moet het loslaten, meneer Worthy,' zei de witjas, 'het is gewoon een hoopje niets. Een levenloos hompje klei. Ga lekker naar huis en troost uw vriendin.'

'Ik snap dat dit voor jullie een routineklus is, even snel in vijf-tien minuten de baarmoeder van mijn levenspartner vacuüm-pompen, maar als u nog één evenwichtig ding zegt, breek ik uw neus in tweeën.'

Eigenlijk had ik Olly gewoon mee moeten nemen. Onder schot als een soort gijzelaar. 'Uit de weg! Hé! Akelige abortuslul! Ga nou niet de held uithangen! Ik schiet hem dood, hoor.'

'Meneer Worthy, het is al dood. Weet u wat u daar in dat potje hebt zitten?'

'Mijn godverdomme zoon Olly. Denk je dat ik gek ben of zo?'

'In dat potje zit menselijke filet américain, zo wilt u zich Olly toch niet herinneren?'

'Ik ga hem ook echt niet op de schoorsteenmantel zetten, doktertje. Olly komt niet tussen mijn ebbenhouten boeddha en de gesigneerde beeltenis van Samantha Fox te staan, nee, ik wil hem gewoon een respectvol einde geven. Voor zover dat überhaupt nog mogelijk is. Misschien kukel ik hem wel in het IJ. Dat heeft wel iets, toch? Haar eisprong die in het IJ sprong. Ja, zo had Olly het gewild. De kleine doerak. Nog een hele fijne dag, dokter.'
'Dag meneren Worthy.'

Had ik dat maar gedaan, want ik ben er nu wel achter dat dode dingen vaak levendiger zijn dan levende dingen. Jij bent dood en verrot vanbinnen, ik haat je, Polly. Verraderlijke heks. Jij hebt helemaal geen recht op een boek, mijn lezers zitten niet op een ode aan een doorsnee meisje te wachten. Rot weg in je miezerige vergetelheid. Met je lelijke bastaardkind. Ja, Polly. Ik gun je een doofstomme mongool met een riante hazenlip.

Met waterige ogen loop ik door het Franse dorp, overstuur, een politieagent houdt me staande. Hij vraagt wat er aan de hand is. Ik maak een hartje met behulp van mijn duimen en wijsvingers, om ze niet veel later woest uit elkaar te trekken terwijl ik 'KRAK' zeg. De smeris knikt begripvol voordat hij mij een schouderklopje met zijn gummiknuppel geeft. Ik lach gedwee, maar in mijn hoofd schop ik de agent volslagen kreupel. À la Alex DeLarge dagdroom ik van *'a bit of the old ultra-violence'*. Mijn interne tijdbom tikt als een oranje uurwerk. Polly, mijn Ludwig Van, ik word onpasselijk als ik aan haar denk. *'I woke up. The pain and sickness all over me like an animal. Then I realized what it was. The music coming up from the floor was our old friend, Ludwig Van, and the dreaded Ninth Symphony.'*

Elodie ligt op een luchtbed in haar zwembad. Blijkbaar boert ze goed als kunstenares, want dit is geen alledaags atelier, dit is een landhuis. Ze komt overeind, topless, ik trek al mijn kleren uit en spring in het water.

'Ik ga jou een delirium neuken.'

'*Quoi?*' Haar ogen zijn rood van het chloor. Het water is een beetje te warm. Apenrotswarm.

'Zal ik jou gewoon een baby schenken, Elodie? Kom hier met die lekkere kut van je. Dat zal Polly leren.'

'Quoi?'

'Als je nog één keer "quoi" zegt prop ik mijn lul in je snavel. Zonder trechter, wij gaan geen ganzenlever maken, wij gaan kindjes maken.'

'Quoi?'

Ze gaat onvrijwillig kopje-onder. Waterpijpen. Elodie krijgt geen adem. Ik word omsingeld door paniekerige luchtbellen en haal dus maar mijn handen van haar hoofd. 'Sorry,' zeg ik, maar ze pakt mijn handen stevig vast en plaatst ze terug op haar hoofd. Wat een gedenkwaardige geile donder. De zon blondeert de groene grassprieten, zangvogels spelen verstoppertje in een goed gevlochten heg. Focus, James. Dit is niet het moment voor pretentieuze passages. Focus! Een torpedo van zaad spat uiteen tegen haar huig. Elodie springt op uit het water, herboren, met haar tong uit haar mond. Zo maakt de moderne vrouw nou eenmaal duidelijk dat ze alles heeft doorgeslikt.

Toen ik klein was moest ik ook altijd mijn tong uitsteken na het eten. Aan de keukentafel, ook als we gasten hadden. Dit omdat ik kapucijners en zorgvuldig geplette spruitjes in mijn wangen opsloeg. Vandaar dat ik het liever niet heb dat bedpartners hun tong uitsteken na het mondeling dulden van lauw teelvocht, want dan zie ik mezelf zitten, zevenenhalf jaar oud, het laadvermogen van mijn wangen vervloekend.

Gekleed in absolute naaktheid paradeert de kunstenares over haar gazon. Ze blijft staan bij een perceel waar rode chrysanten de boventoon voeren. Piet Mondriaan had tijdens zijn leven veel met chrysanten, mij hebben ze nooit kunnen bekoren. Ik vind ze te schreeuwerig, het zijn sletterige insectenlokkers en ze staan symbool voor het einde van de zomer. Die hele bloemensymboliek is sowieso een akelig iets. Een witte chrysant staat voor waarheid, een tulp staat voor de perfecte liefde en de gele roos staat voor 'ik waardeer je vriendschap'. Wij mensen hebben van de bloem een veredelde ansichtkaart weten te maken. Zeg het met bloemen? Gemakzuchtig gelul. Bloemen en chocolade zijn geen woordvoerders, het zijn ongeïnspireerde presentjes.

Elodie ligt wijdbeens op het gras, met een zojuist geplukte chrysant wrijft ze over haar eigen bloemknop. Een middelvinger dobbert in haar nattigheid. Jezus. Ik heb helemaal geen zin in seks. Amsterdam. Ik moet naar Amsterdam. Praten met Polly. Een zwangere Polly. Elodie gooit er een schepje bovenop. Ze heeft het uiteinde van een tuinslang in haar mond en inmiddels dobberen er drie vingers in haar ruime sop. Oké, oké, ik bijt. Altijd maar weer die seks. Weet je wat het is? Tijdens de seks ontsnap ik aan de realiteit. Het is een droom. Een spirituele hallucinatie, een bovenmenselijke ervaring die weinig met de werkelijkheid van doen heeft. De werkelijkheid bestaat uit boodschappen doen, de huur betalen, in hondenpoep staan en chronische ontevredenheid. Seks is de kunstmatige baarmoeder van ons geluk. Een verkoelende natte droom in de oneindige woestijn van het volwassen worden. Een luchtspiegeling die ontstaat door het temperatuurverschil tussen twee gloeiende lichamen. Neuken.

17

'James, ik sta in je mobilhome. Het lijkt hier op Beiroet. Of je bent beroofd of je bent boos. Waar ben je?' De vrouwenstem klinkt bezorgd.

'Hebben ze iets meegenomen? Staat mijn laptop er nog?'

'Die ligt hier rustig te ronken. Even kijken, hoor. Er staat een Word-document open. O, jeetje. Tekengrootte 72. "Het nieuwe leven in jouw buik doet mij naar de dood verlangen." Kut. Je ex is zwanger.'

'Inderdaad. Polly is in verwachting van Pete. Haar dikke buik blèrt dat wij nu voorgoed achter de rug zijn. Voorbij. *Fini.* Die misvormde foetus heeft al onze vlinders opgegeten.'

'Wat nu? Ga je terug naar Amsterdam?'

'Vandaag nog. Met de trein. Van Royan naar Niort, van Niort naar Poitiers, van Poitiers naar Brussel-Zuid en van Brussel-Zuid naar Amsterdam Centraal.'

'Wat een omslachtig gehannes. Ik heb een beter plan. Wij gaan liften. Jij, duimzuigend op mijn buik, terwijl we genieten van de aangename willekeurigheid van het liften.'

'Hoe laat en waar spreken we af?'

'Over twintig minuten op dat kermisje bij de kerk.'

'Pico bello. O, Aafke? Laat even een lief briefje achter voor Roemer. We zijn goed volk, we vertrekken niet zonder gedag te zeggen. Ik ben nu iets aan het schilderen op Elodie. Ze slaapt.

Wat is "Mijn rondborstige reddingsvest, bedankt voor je onvergetelijke eigenheid" in het Frans?'

'Weet ik veel, James. Bef haar gewoon gedag. Je hebt nog twintig minuten, dat kan jij best. Tot zo.'

Met sporen van Elodie in mijn gezichtsbeharing ren ik door het gortdroge Franse landschap. Mijn lichaam figureert in een schilderij van Vincent van Gogh. *De zaaier*, ja, ik ben het spoor bijster in een doolhof van kleuren. Aan de horizon pocht een goudgele zon, haar stralen prikken zeurderig in mijn linkerooghoek. Een oude Citroën cx sjokt voorbij, in de achtergelaten stofwolk wappert de omhooggestoken duim van de bestuurder. Terwijl ik de zanderige mist betreed gaat mijn linkerduim de lucht in. De bewuste Fransoos zag er misschien dan wel uit als een viespeuk, een slinkse kinderlokker, zijn duim was net zo solide als de sloten op zijn kelderdeur.

De kermis is dicht, alles is afgedekt met blauw zeil. Aafke leunt onbekommerd tegen de boksbalautomaat. Een minirok snijdt haar dijbenen in tweeën en op haar bontjas prijkt een '*Fur is murder*'-button.

'Wat zie jij er appetijtelijk uit,' zeg ik en geef haar een kus.

'Gadverdamme, etterbak, je kin is nog klam.'

Ze spuugt in haar handen en schrobt op tedere wijze het vaginale vocht van Elodie uit mijn piratenbaard. Goddank raakt Aafke niet ontstemd door mijn uitzichtloze smeerlapperij. Ze snapt dat ik emotioneel geradbraakt ben en af en toe een weekendtripje Hades boek. Mijn hart is nou eenmaal een geharpoeneerde walvis. Futloos. Hij laat zich enkel meeslepen door vrouwen. Als een dobber. Gehavend naar de kust.

Aafke zit in een rubberbootje, stuiterend over de vlammende golven. Ze ziet iets in mij, iets wat ik al heel lang niet meer zie en iets wat Polly ook niet meer kon vinden. Aafke ziet een man, een winnaar, verloren, dat wel. Ik ga kopje-onder in haar eerbiedige ogen.

Ik sta verstopt achter een boom. Aafke staat langs de provinciale weg. Een goedkope sportwagen van Aziatische makelij claxonneert, maar de bestuurder weigert zijn auto tot stilstand te brengen. Niemand stopt. Onnozele Fransozen. Ik zou beslist voor haar stoppen. De kinderen en de boodschappen zou ik zo de auto uit kukelen, overtollige bagage. 'Sorry jongens, maar die blonde mevrouw daar is een waagstuk. Voor zo iemand zet je alles opzij, alles. Neem risico's, maak fouten, leef! In die boodschappentas zitten pakjes appelsap en een vers stokbrood. Hier is mijn mobieltje, bel mama maar. Zij haalt jullie wel op. Vaarwel, kleine engeltjes van me. Wees goed, wees braaf, wees allesbehalve zoals jullie vader.'

Een witte Saab mindert vaart, ik spring van achter de boom vandaan en doe alsof ik mijn gulp dichtrits. Aafke stapt alvast in en stiekem hoop ik dat de Saab wegrijdt. Dat ik haar moet gaan zoeken, ergens in de bergachtige binnenlanden van Albanië. Ik, een eenmansleger, tegen een kudde van ongure vrouwenhandelaren met bivakmutsen. Het leven mag wat mij betreft af en toe net iets meer op een film lijken. Een ontvoering, het lijkt me heerlijk. Vingers in de post, handschriftloze brieven en bondige telefoongesprekken met iemand die zichzelf 'De Schorpioen' noemt. Ik ben bang voor schorpioenen. Een schorpioen is een soort junkenspuit met scharen. 48 uur later sta ik dan oog in oog met hem in een kitscherig kasteel aan de Ionische kust. Mijn witte hemdje is bebloed, Aafke zit ongemakkelijk vastgebonden op een klapstoel en De Schorpioen oogt giftig. Logisch, ik heb vanochtend zijn complete geboortedorp van de kaart geveegd. Wraak, zoete wraak. De Schorpioen krioelt over de marmeren vloer, hij vecht voor zijn leven, tevergeefs. Ik heb hem een *buckwheats* gegeven. De meest pijnlijke manier om te sterven, aldus de slechterik in *Things to Do in Denver When You're Dead*. Een kogel in de anus. Onverteerbare pijnen. Gerechtigheid.

Aafke lacht, ondanks het feit dat er een stukje endeldarm van De Schorpioen op haar wang zit. Wat een verrukkelijk wijf. Ze is mooi, net zo mooi als Polly. Jezus. Het is alsof ik een lege colafles met kraanwater vul. Het water zal altijd een colasmaakje blijven houden, hoe subtiel ook. Polly is mijn levenslange colasmaakje.

De bestuurder van de Saab heet Cyrille. Hij draagt orthopedisch schoeisel en een Bob Marley-T-shirt. Op zijn linkeronderarm staat 'One Love' getatoeëerd en aan zijn achteruitkijkspiegel hangt een fotokubus met daarin diverse olijke kiekjes van zijn gezin. Zijn vrouw lijkt op een mislukte pannenkoek en zijn kinderen, een mannelijke eeneiige tweeling, scoren met gemak een min tien. 'Wat een droevige lul,' hoor ik Aafke fluisteren. Lachend leg ik mijn hoofd neer in haar schoot.

'Echt, hè? Hij doet me een beetje aan Roemer denken.'

Aafke praat met Cyrille, ze vraagt hem de oren van het iets te zware lijf. Vloeiend Frans verlaat haar lippen, ze is oprecht geïnteresseerd. Ik hoef niets van hem te weten, ja, of hij een beetje goed kan rijden en geen fetisj heeft voor het inrijden op betonnen viaducten. Voor de rest kan Cyrille de pleuris krijgen, met zijn klompvoetjes en zijn reggae. Ik ben een parasiet en hij is de gastheer. Ik ben de larven van de roofmijt en hij is de hooiwagen. Mijn ogen zijn dicht, ik doe alsof ik slaap, maar ik volg het gesprek op de voet. Mijn zus vertok op achttienjarige leeftijd naar Frankrijk, zogenaamd om Frans te studeren in Perpignan, maar ik wist allang van haar verhouding met Mourad. Een drieëndertig jarige bananenbootverhuurder van Algerijnse komaf. Ik had het gelijk al moeilijk met het vertrek van mijn zus, niet eens zozeer omdat ik haar miste, maar omdat ik niemand anders meer de schuld kon geven van mijn domme acties.

'Wie heeft die vaas gebroken?'

'Bianca!'

'Wie heeft er punaises in de kattenbak gegooid?'

'Bianca!'

'Wie heeft twaalf piemels op de favoriete Bananarama-poster van Bianca getekend?'

'Ehmmm, Bianca?'

In één klap was ik niet meer de onschuldige superzoon, maar de zoon van Satan.

'James, Cyrille vraagt of hij mijn borsten mag zien. Wat vind jij?'

'Hoe vroeg ie het? Netjes?'

'Hij wil mijn tieten zien, als bedankje, Cyrille is van mening dat hij daar recht op heeft.'

'Ik snap zijn punt, maar twijfel. Hoe sta jij er zelf tegenover?'

'Het stoort mij niet, heb je zijn vrouw gezien? En zijn kinderen?'

'Akkoord. Hij leeft in een donkere, lelijke wereld, schijn wat licht op hem met je royale koplampen.'

Aafke knoopt haar bontjas open. De hondsdolle ogen van Cyrille staren wanhopig in de achteruitkijkspiegel en ik let keurig op de weg.

'Jezus Aaf, heb je echt niets onder die bontjas aan? Wat onfatsoenlijk! Wat ordinair! Wat hemeltergend geil. Laten we deze oelewapper een showtje geven.'

'Coolio,' zegt ze, terwijl ze lustig mijn gulp openknoopt.

'*Tu regardes la route!*' blaf ik in de richting van Cyrille, terwijl ik Aafke van achteren pak op zijn smoezelige achterbank. De witte Saab glijdt door het Franse wegennet en ik glijd, ergens in de buurt van Fontainebleau, nog steeds de hemelpoort in en uit. Ze komt op me zitten. Haar vloeibare geluk abseilt in de richting van mijn oververhitte scrotum.

'Regarde la route! Godverdomme. Die halve gare zit met een hand in zijn broek. Regarde la route! Achterlijke goorlap.'

Aafke gaat onverstoord verder met berijden, al galopperend laat ze mijn mannelijkheid steigeren. Ze hijgt ongecontroleerde liefdesbetuigingen in mijn oren. Dat ik lief ben, grappig en iets over diep ontzag. Ik bijt zachtjes in haar linkerhand, de haren op haar arm staan rechtovereind. Kippenvel, ik ben doorgedrongen tot haar autonome zenuwstelsel.

'Aaf, ik wil dat je stopt met neuken, maak een vader van mij, alsjeblieft, dan maak ik een moeder van jou.'

Cyrille veegt zijn klonterige zaad af aan de binnenkant van zijn t-shirt en pakt een sigaret van het dashboard. Met een duivelse paringsdans slurpt ze het vaderschap uit mijn ballen. 'Kom maar, James. Spuit me vol, spuit me rond. Hoe gaan we hem of haar noemen?' Ik kom. 'Pleun. Pleun. Pleeeeeeeeeun! Van Apollon. De zoon van Zeus en Leto. De god van de verzoening, muziek en de stad. Pleun. Regarde la route, CYRILLE!'

Het is nacht. De Noord-Franse sterrenhemel telt duizend witte oogjes, ze volgen de Saab. 'Moet die Cyrille niet naar huis of zo? Vraag eens aan hem wat precies zijn plan is.' Cyrille geeft een bijzonder lang antwoord op de vraag van Aafke. 'Hij wil ons best naar Amsterdam brengen, maar dan moeten we wel na iedere honderd kilometer doen wat we net hebben gedaan.'

'We zijn bijna bij Parijs en vanaf daar is het zo'n vijfhonderd kilometer naar Amsterdam. We moeten dus nog vijf keer neuken. Redden we dat? Willen we dat?'

Aafke haalt haar schouders op. 'Waarom niet?'

'We hebben een deal, Cyrille,' zeg ik.

'Quoi?' zegt de slaketende voyeur.

'We hebben een deal, Cyrille,' herhaal ik.

'Quoi?'

'Aafke, zeg even tegen die gast dat we een deal hebben en vraag ook eens voor de grap of ie verzoekjes heeft.'

'Hij is een groot liefhebber van sm en anale handelingen,' aldus een fronsende Aafke.

'O, en zeg even tegen die grapjas dat als ie ergens een camera heeft verstopt, ik hem kom opzoeken met een bijl. Serieus schat, dan sla ik hem kapoeres. Al vlucht ie naar Albanië, ik zal hem vinden. Net als De Schorpioen.'

18

'Hallo? Spreek ik met Herman Brusselmans? Aafke Schmidt hier. Ik ben zojuist gebeft door James Worthy. In een rijdende auto zo om en nabij Rijsel, de zusterstad van Rotterdam. Heeft u weleens truffels gegeten? Vast wel, u bent een notoir levensgenieter. De tong van James is als een truffel, een onbetaalbare, zinnenprikkelende zwam. Mijn clitoris tintelt nog minuten na, het telefoonbotje in onze ellebogen is er niets bij, meneer Brusselmans. Nog een hele fijne avond en duizendmaal dank voor *De man die werk vond.*'

'Bel Roemer ook eventjes,' zeg ik, terwijl ik check of Cyrille nog wakker is.

'Hé, Roemer. Hoe is het? Heb je mijn briefje nog gevonden? Goed zo. Ja, Polly is zwanger. Die arme jongen is helemaal doorgedraaid. Krankjorum. We moesten weg, terug naar Amsterdam. James gaat met Polly praten, de handdoek in de ring gooien. Precies. Je hoeft je dus geen zorgen te maken. Bedankt voor alles, lieve Roemer. Kus.'

*

Langzaam droom ik weg. Ik zit in de tram. Mijn pak is gestoomd, mijn stropdas is zwart. Ik zie eruit als een rockster die een rechtbank binnenloopt. Met behulp van 'By Your Side' van Sade probeer ik mezelf in een soort van droevige stemming te brengen, maar ik heb sjans met een vrouw die twee bankjes verderop zit en via een make-upspiegeltje naar mij aan het turen is. Haar mascara zit kut en haar lippenstift heeft een merkwaardig bruine kleur. Toch zit er onder al die decoratieve cosmetische drab een wonderschone vrouw verstopt, dus besluit ik lief doch speels in de richting van haar spiegeltje te lachen. Ze lacht terug, godverdomme, wat is het leven toch mooi.

We zaten samen op voetbal, hij was een jaar jonger dus fungeerde ik, ondanks het feit dat hij drie koppen groter was, altijd een beetje als zijn oudere broer. Ik gaf hem zijn eerste pornoblaadje, zijn eerste sigaret, zijn eerste biertje en zijn eerste keer. Het sletje van mijn school had het nog nooit met een donkere jongen gedaan, dus nam ik haar een keertje mee naar mijn training. Nog voor de training was afgelopen, zat mijn spits het losbandige tutje uit Oud-Zuid te vingeren. Vooraf wist ik al dat het tussen hen zou klikken. Hoe ik dat wist? Ach, noem het fingerspitzengefühl.

Na onze pubertijd verwaterde de vriendschap, hij had last van depressies en ik had simpelweg geen zin in een futloos en neerslachtig blok aan mijn been. Ikzelf kroop in die tijd langzaam maar zeker uit mijn met acne bedekte schulp en werd sociaal steeds vaardiger. Hij werd steeds donkerder, had last van paniekstoornissen, hevige sociale fobieën, en kroop indirect dus steeds verder in zijn schulp. Ik was nog jong en wist weinig van bipolariteit af, dus had iets van 'eigen schulp dikke bult'. Misschien had ik hem in die tijd wel iets meer moeten steunen, maar ik dacht alleen maar aan Salou en brommers. Bovendien wist ik toentertijd helemaal niet hoe je iemand moest steunen. 'Nou jongen, het leven is prachtig, zie je die regenboog daar, wow. Kutjes zijn mooi, hè? Ik heb laatst een Maleisisch meisje gebeft en die smaakte serieus naar bapao.' Zo iemand kan je niet opvrolijken of opbeuren

141

met zoetsappige anekdotes over eenhoorns en voluptueuze prinsessen. Iemand die op het dak van een wolkenkrabber staat met een afscheidsbrief in zijn handen, tja, die zit echt niet te wachten op een CliniClown met platte grappen.

Ik zit op een klapstoeltje en prop de bovenkant van mijn sokken nonchalant in mijn zondagse schoenen. Mijn outfit is om door een ringetje te halen, maar in alle haast was het onmogelijk om vanochtend twee dezelfde sokken te vinden.

De zaal zit vol en ik ken niemand, behalve de jongeman in de kist en zijn ontroostbare moeder die twee rijen voor mij zit. Een viertal kleine kinderen speelt tikkertje, terwijl ik aandachtig naar zijn foto op het podium kijk. In de tien jaar dat ik hem niet heb gezien, is hij niet veel veranderd. Die gekke moedervlek op zijn kin, dat litteken boven zijn wenkbrauw, die ietwat sullige en lege blik. Ik noemde hem altijd Goofy, hij was groot, onhandig en gezegend met een joekel van een reukorgaan.

Er rolt een traan over mijn wang en ik weet eigenlijk niet waarom. Die lieve jongen had totaal geen zin meer in het leven. Hij heeft nu eindelijk rust en dan ga ik een potje lopen janken? Ik begrijp mijn eigen tranen niet. Zijn moeder staat op, loopt in mijn richting en droogt mijn tranen met een zoet ruikende zakdoek. Ze komt naast me zitten en lacht om mijn baard. 'Dat pak en die baard, je ziet eruit als een succesvolle zwerver.' Ze gaat met haar vingers door mijn gezichtsbeharing en trakteert mij op de mooiste glimlach die ik ooit heb mogen ontvangen. Het is de lach van een engel. 'Ik ben dolblij dat je er bent en hij is dat ook, geloof me. Jullie hadden niet veel contact meer, maar hij is je op de voet blijven volgen. Hij was niet de beste lezer van Suriname, maar als hij jouw stukken las veranderde hij voor eventjes in een normale jongen. Dan begon hij direct over vrouwen, liefde en helaas ook over seks. Jij weet hoe hij was, een stille jongen, hij had nog geen vrouw kunnen regelen in een vrouwengevangenis, maar jij hebt hem heel veel zelfvertrouwen gegeven.'

De naar vanille ruikende zakdoek van de moeder maakt overuren. Terwijl zij mijn gezicht ermee droogt, dep ik haar ogen met mijn stropdas.

*

'Wakker worden, Worthy, we zijn weer honderd kilometer verder.' Aafke draagt alleen nog haar bontjas, ze ziet eruit als Marilyn Monroe. Een vamp, een stoeipoes, en ondertussen wrijft die hansworst van een Cyrille alvast zijn beslagen achteruitkijkspiegel schoon.

'Onze chauffeur wil dat ik je een paar klappen geef. Met de open hand, in het gezicht.'

'Mij best,' zeg ik weifelmoedig.

De eerste klap voel ik niet, de tweede klap ook niet, maar de derde klap laat mijn linkerwang nasmeulen. Cyrille giechelt nerderig, terwijl hij kordaat aan zijn sergeant-majoor trekt.

'Godverdomme, Aaf, iets minder *Rocky* en iets meer billenkoek. Heb je trouwens de lul van die gast gezien? Dat is dertig centimeter, een tube Toblerone, en ik loop hier te kutten met anderhalve Twix.'

'James, je volstaat en daarnaast is die van jou dikker. Hij heeft een brillenkoker, jij hebt een deoroller.'

'Top. Je amandelen meuren trouwens gigantisch naar zweet, dus doe er gelijk wat aan. O, en ik ga je straks zo hard op je kont slaan. Kijk eens naar mijn wang. Felrood! Ik lijk op de schedel van Gorbatsjov.'

Cyrille veegt opnieuw een handjevol zaad af aan de binnenkant van zijn Bob Marley-t-shirt. Ik ben ook in mijn hand gekomen, in de rechter, maar hecht net iets te veel waarde aan mijn studentikoze overhemd om Cyrille na te apen. Ik draai mijn raampje open en steek mijn hand de nacht in. De wind sleurt mijn stijfsel mee, moeizaam, alsof de honderd miljoen zaadcellen een gelukkig leven tussen mijn gespreide vingers leiden. Na een kortstondige vlucht kwakt de klodder neer op het Gentse asfalt. Mijn te vroeg ter ziele gegane nakomelingen dringen de Vlaamse grond binnen, net als het bloed van mijn overgrootvader dat zo'n kleine honderd jaar geleden de droge Franse grond van vocht voorzag.

Aafke gaat met haar vingers door mijn zweterige gemillimeterde haar. 'Ik hoop echt dat ik zwanger word.' Minuscule druppeltjes zweet landen op mijn gezicht.

'Ik ook, lief, en echt niet alleen omdat Polly zwanger is, hè. Geloof me. Natuurlijk heeft het me wel wakker geschud, dat ik door moet gaan, standhouden, volharden, maar aan het bed van mijn wedergeboorte ben jij de vroedvrouw.'

Cyrille steekt zijn duim omhoog. 'Serieus? Nu al? Hoe hard is die gast aan het rijden?' vraag ik terneergeslagen.

'Niet zeiken, James, we zijn bijna thuis. Maak hem even hard.'

'Ben je seksverslaafd, Aaf? Ik kan je kut eventjes niet meer zien, hoor.'

Een seksverslaafde vriendin, tien jaar geleden zou ik er zonder meer voor hebben getekend. Geen twijfel over mogelijk, erectie in de inkt en de veer in haar reet. Tegenwoordig benader ik seks helaas anders, ik begin het bijna op dezelfde manier te zien als het vieren van mijn verjaardag. Vroeger keek ik er hartstochtelijk naar uit en waren die bewuste dagen altijd te kort, heden ten dage neem ik genoegen met een ongeïnteresseerde hand en een goedkope taart of tompoes.

'Cyrille, je bent een klootzak. Weet je dat? Als ik je ooit in Amsterdam tegenkom ga ik toekijken hoe zes junks je voor een paar gram lam trappen. Dan draag ik het Bob Marley-t-shirt, met tegenzin, want ik heb een broertje dood aan reggae.'

Aafke sabbelt ondertussen halfslachtig aan mijn halfslappe. 'En nog wat. Als kleine jongen had ik altijd een zwak voor Saab. De 900 was voor mij de allermooiste auto ooit. Als ik een Saab zag, zag ik Zweeds vakmanschap en vrouwelijke vormen. Nu zie ik beslagen ramen, zaadvlekken en schrale kutten. Je bent een schofterige snuiter, Cyrille. Die lelijke vrouw en kinderen, je verdient ze. Zit je nou echt naar mij te kijken terwijl zij me pijpt? Hallo! Nok even met die Jos Brink-praktijken. Aafke, hij kijkt me recht in mijn ogen aan. Als ik straks krimp, ligt het niet aan jou. Ik hou van je. Cyrille, jij jammerlijke teringlijder, of je kijkt naar Aafke of je regarde la route. REGARDE LA GODVERDOMME ROUTE!'

19

Polly loopt de huiselijke lunchroom aan de Czaar Peterstraat binnen. Ik eet een tosti en doe alsof ik de krant lees. Iets over dat je ergens kanker van kunt krijgen en iets over een dorpje in Drenthe waar het zelfmoordcijfer bijzonder hoog ligt. Ze ziet er goed uit, voor zover een ex er goed uit kan zien. Polly straalt, glinstert en flonkert, een zwangere discobol, ik heb haar nog nooit zo gelukkig gezien.

'Mijn gelukzalige ex. Wat zie jij er jaloersmakend bevredigd uit. Mag ik even mijn hand op je buik leggen en zeggen dat het een voetballertje wordt?'

Ze knikt. Ik wrijf mijn handen warm en leg de warmst aanvoelende, de rechter, op haar moederlijf.

'Ik mis je huid en ik mis je geur, ik mis alles aan je, maar jij bent nu compleet. Het is goed zo.'

'Ben je serieus? Heb je het een plekje kunnen geven?'

'Misschien. Soms. Jij weet als geen ander hoe ik ben. Mijn gevoelens zijn grillig van aard, veranderlijk, mijn hart is net een kameleon. Voor nu is ie babyblauw, maar een plotselinge kleurverandering ligt altijd op de loer. Hoppa. Bijna zwart.'

'Wil je na de koffie met mij naar Artis? Ik mis hoe je uren over dieren kunt praten, volledig ongeschoold, dat wel, maar recht uit je tikker.'

'Met alle liefde, Pol. Dan neem ik je mee naar de dwergoeistiti's. Dat zijn de kleinste apen ter wereld. Het allermooiste aan die beestjes, naast hun vacht, is dat de vaders voor de kinderen zorgen. En dat ze zestien centimeter lang zijn, net als, tja...' Ik wijs in de richting van mijn gulp.

'Weet je wat ik ook nog iedere dag mis? Het beffen. Bel je Brusselmans nog steeds na iedere geslaagde befsessie?'

'Zo goed als. Al laat ik tegenwoordig de vrouw liever bellen, dat is toch iets aangenamer voor zo'n man. Wel was hij vorige week een beetje vijandig wat reageren betreft. Hij zei tegen Aafke: "Bel nog één keer, dan schop ik u recht tegen uw preut."'

'Aafke? Is dat je nieuwe muze?'

'Qua inspireren is het nog geen Clio of Euterpe, maar ze wakkert wel degelijk dingen aan.'

'Ben je verliefd?'

'Ze maakt me minder verdrietig, dat vind ik momenteel belangrijker dan verliefdheid.'

'Zou je het kunnen worden?'

'Vanzelfsprekend, maar eerst moet ik ene Polly loslaten.'

'Waarom duurt alles toch altijd zo verdomde lang bij jou?'

'Nou. Ik dacht echt dat wij voor altijd bij elkaar zouden blijven, maar misschien was dat wel het hele probleem. Ik waande ons onschendbaar en als iets niet stuk kan, doe je er automatisch een stuk minder voorzichtig mee. Heel normaal, dat is menselijk. Nee, het is niet normaal, maar zo zijn mensen. Het onkwetsbare moet gekwetst worden.'

We lopen over het Entrepotdok, langs de onbetaalbare Kalenderpanden. Aan onze linkerhand ligt een regenachtig Artis. Uitheemse vogels zingen hun allochtone liederen en een olifant veroorzaakt enige vorm van tumult met zijn kribbige getrompetter. Zo om en nabij het leukste bruggetje van Amsterdam, de Nijlpaardenbrug, grijpt Polly mijn hand. Dit is het moment. Nu komt het: James, ik wil je terug. Zeg het maar. Dat kind in mijn buik is van jou. Natuurlijk, het is een voetballertje. Pete is geen voetballer, Pete speelt volleybal. Een sport voor talentloze kontneukers.

'Liefje, ik zie af en toe nog hoop in die onrustige ogen van je. Wij. Wij zijn verleden tijd. De tegenwoordige tijd bestaat uit vriendschap. Dat snap je toch wel?'

'Je haalt hoop en berusting door elkaar. Er groeit iets in jouw buik, het zaadje van een andere man, denk je echt dat ik je nu nog terug wil? Weet je nog dat mijn zaadje in jouw buik groeide? Olly?'

'Natuurlijk weet ik dat nog, godverdomme James, dat zuigertje ging mijn lichaam in. Wie is Olly?'

'Zo noem ik onze ongeboren zoon, omdat we zo bleven twisten over zijn bestaansrecht. Charles Dickens? *Oliver Twist. Great Expectations. The Battle of Life.*'

'Dus jij hebt iets wat door een buisje mijn lichaam heeft verlaten een naam gegeven? Waarom? Waarom maak jij dingen zo onnodig moeilijk, zo hartverscheurend? Alles moet pijn doen.'

'Niet alles hoeft pijn toe doen, echt niet, alleen de dingen die niet fijn voelen moeten pijn doen. Je hebt geluk en je hebt pijn, meer is er niet. Er is geen middenweg. Wij staan nu op de Nijlpaardenbrug, ken je toevallig die Afrikaanse legende over waarom nijlpaarden kaal zijn?'

'Nee James, ik heb helemaal niets met nijlpaarden.'

'Het is mijn favoriete dier, maar oké. Nijlpaarden hadden vroeger prachtig haar en daar liepen ze dan mee te pronken. Patserig. "Kijk eens naar onze weelderige bos," zeiden ze dan tegen andere dieren. Een haas was hier niet zo blij mee en stak daarom alle nijlpaarden in de fik. Sindsdien zijn ze kaal en leven ze onder water uit schaamte. Het verhaal heeft wel wat haken en ogen. Zo slapen nijlpaarden onder water, dus hoe heeft die haas dit alles voor elkaar gekregen? En hoe maakt een haas vuur? Ach ja, legendes, ze zijn er voor de schoonheid en de boodschap, niet voor de feitelijke waarheden.'

'Dus ik ben de haas?'

'Nee, ik heb al mijn haar nog. Ik wilde gewoon met een onzinnige Hakuna Matata-legende aantonen dat schoonheid altijd tot pijn en schaamte leidt.'

Artis is rustig en vrijwel kindervrij. Polly loopt nog steeds naast me, ze eet een gevulde koek, maar ze straalt niet meer. Het is zonneklaar, ik maak haar ongelukkig. Toen ik haar vanochtend zag, leek ze op een zwangere discobol, nu heeft ze meer weg van een opgezwollen zuurpruim. Ik zuig de vreugde uit haar lichaam, ik aborteer haar bloei.

'Sorry.'

'Voor wat?'

'Dat ik de vreugde uit je lichaam zuig en je bloei aborteer.'

'Dat is het niet, totaal niet. Alleen denk ik als ik bij jou ben altijd zo veel na. Al die overpeinzingen, ik word meegesleurd in jouw denkwereld. Dat is een fijne plek, ik mis het. Daarom kijk ik zo. Jij maakt alles groots, zelfs die kleine aap, hoe heet ie?'

'De dwergoeistiti.'

'Jouw ongeëvenaarde liefde voor het leven, die kinderlijke drang om alles te willen begrijpen om zodoende van alles te kunnen genieten, ik kan dat niet. Ik wil niets snappen. Ik snap ook niet waarom wij niet meer bij elkaar zijn. Ik snap niet waarom Olly nooit is geboren. Ik snap niet wat ik met Pete doe en waarom ik zijn kind wel besluit te houden. Alles is een raadsel, alleen zoek ik niet naar de oplossing.'

'Het gaat niet eens om snappen, ik wil gewoon over alles nadenken. Waarom zijn urinoirs niet zwart? Waarom verkopen mijn boeken niet? Nadenken. Ik ben gelukkig, ik ben ongelukkig, ik denk na. Dat maakt het nagenoeg onmogelijk om met mij te leven. Wat is het leven toch mooi, ik wil dood, waarom is het leven zo onmogelijk? Ik snap dat je bent gevlucht, Pol.'

'Ik ben niet gevlucht en als ik al gevlucht ben, weet je dan waarvan? Van het "de vriendin van James Worthy" zijn. Als ik met jou ben, ben ik geen Polly meer, maar een groupie. Een tijdelijke muze. Dat leuke koppie.'

'En daarom ga je nu met de beste conceptuele kunstenaar van Amsterdam?'

'Ken je het werk van Pete?'

'Natuurlijk, die man is de Marcel Duchamp van de Baarsjes. Jij bent nu de vrouw van de Marcel Duchamp van de Baarsjes.'

De dwergoeistiti's springen van stronk naar stronk, een dikke Aziatisch ogende kleuter schreeuwt: 'Kijk, miniaapjes! Check dan, mam, ze zijn net zo groot als Frank!'

'Wie is Frank?' vraag ik aan de moeder.

'Zo heet zijn woestijnratje. Frank.'

'Heeft Frank ook zo'n lange staart dan?' vraagt Polly aan de kleuter.

'Neeeeeee. Doe niet zo maf. Frank heeft een korte staart.'

Het tweetal loopt verder. 'Kijk mam, een miniaap met een hanenkam. Coool!' gilt de kleine papzak een paar ramen verder.

'Over vier jaar loop jij hier ook, Polly. Met zo'n blèrend kind. "Ik wil patat, mama, en daarna wil ik naar de krokroodillens."'

'Jij ook hoor, James, wedden?'

'O ja, nee, ongetwijfeld, maar ik krijg een stotteraar. Die blèren niet, die worden alleen heel erg rood. En als Pleun heel erg rood wordt dan geef ik hem een waterijsje.'

'Pleun?'

'Ja. Van Apollon. De zoon van Zeus en Leto. De god van de verzoening, muziek en de stad. Pleun.'

'Dat vind ik zo mooi aan jou. Je lijkt zo'n ongecontroleerde lul, zo iemand die niets op een rijtje heeft, maar ondertussen.'

Ondertussen wordt alles zwart. Ik heb geen zin meer in deze wassen neus en kukel de poppenkast met behulp van één onvergeeflijke Titanic van een tirade om.

'Polly, ik hou van je. Jij bent de belichaming van mijn welbevinden. Zelfs nu, met de buik van iemand anders. Kom terug. Ik weet dat je aarzelt, jij ziet mij, jij voelt mij, jij bent mij. Dus negeer die aarzeling niet, alsjeblieft. Ik smeek het je. Ik ben leuker, beter, knapper en kleiner geschapen dan Pete. Steek mijn haar in de fik, ik steek jouw haar in de fik en dan duiken we samen in die nijlpaardenpoel. Vol schaamte, omdat wij al deze maanden zonder elkaar hebben geleefd. En waarom? Jij weet het niet en ik weet het niet. Weet je wel hoe godverdomde frustrerend dat is? "Spreek ik met de heer Worthy? Ik heb heel slecht nieuws. Uw ouders zijn dood."

"WAT? HOE? WAAROM?"

"Dat weten wij niet. Fijne avond nog."

Jij moet eens volwassen worden, Polly, en heel vlug ook. Binnenkort word je moeder. Ren niet weg van de waarheid. Gebruik die prachtige ogen van je eens. Ik sta hier! Bij de dwergoeistiti's. De kleinste apen ter wereld? ONZIN! Ik ben de kleinste aap ter wereld als jij er niet bent.'

'Was dit je plannetje?'

'Ik heb geen plannetje.'

'Ik hoef jou nooit meer te zien, James. Egoïstisch mannetje. Ikke. Ikke. Ikke. Walgelijk.'

'Ja. Ik kies voor mezelf. Is dat erg? Maakt dit mij tot een slecht mens? Jij kiest voor niemand, dat is pas erg. Een volwassen vrouw die alles heeft, echt alles, en dan alles inruilt voor de helft. Met je dikke buik vol leugens en schone schijn. Pete is een lul!'

'Pete is...'

'Pete rende weg toen ik in elkaar werd geslagen door twee junks. De schijterige angsthaas. Weet je wat? Jullie passen perfect bij elkaar. Lekker synchroon wegrennen van problemen. Vluchten, het hazenpad kiezen. Twee laffe teringhaasjes die nijlpaarden in de fik steken.'

'O James, wat ben je toch wijs. Met je ontelbare maskers. Schizofrene debiel. En maar wijven neuken en maar vreemdgaan. Vrouwen laten geloven dat je slim, gevoelig en anders dan de gemiddelde geile man bent. Voor een week, ja, en dan neuk je ze.'

'Dus ik ben vreemdgegaan? Geloof je dat echt? Geloof je serieus dat ik jou ooit heb bedrogen met een andere vrouw?'

'Kom op, James, je bent een sletje. Je hebt zelfs een keertje met mijn zus gedoucht.'

'Is douchen vreemdgaan? Toen in dat vakantiehuisje met je pa en ma? Jezus. Het warme water was gewoon bijna op. Jullie waren eten halen. Chinees. Heel slechte Chinees. Ergens in de buurt van Apeldoorn. Beekbergen! Ik droeg een boxershort en zij droeg een rood badpak.'

'Rot op zeg. Ik ga weg hier. Met je kleine kutaapjes. Dag, James. Ik ga lekker naar huis, Pete neuken.'

'Wat? Ga je nu echt zo doen? Ik zou maar gaan rennen, schat, echt, anders geef ik je straks een stomp in je buik. Hebben we twee Olly's. Jij in en in ziek kankerwijf.'

'Dag, grootste fout van mijn leven.'

Polly waggelt weg, de bolle slet.

'De grootste fout van jouw leven heb je nu in je buik zitten. Een liefdestumor. Ga er maar lekker aan kapot, Polly.'

Ze loopt weg.

'IK HOU VAN JE!' schreeuw ik.

Ik hoop dat ze terugkomt, voor heel even, maar ze komt niet terug. Nooit meer. Nooit meer.

20

Het dak van mijn basisschool ziet er anders uit dan in 1992, toen ik er, in de stromende regen, mijn eerste tongzoen kreeg. Op het schoolplein spelen kinderen, vanaf het dak gezien zijn het net mieren. Een jongetje met een rode pet ziet mij staan en zwaait zowat zijn arm uit de kom. 'Bent u een stuntman?' schreeuwt hij naïef.

'Ga lekker knikkeren, jongen, ik drink gewoon een biertje,' antwoord ik.

Dood hoef ik niet, ik blief chaos. Nog één keertje een beestenboel, voordat ik aan huisje-boompje-beestje met Aafke begin. Een burgerleven, ik kan het, maar deze week ga ik nog even doen wat ik al mijn hele leven doe: opkijken naar de bodem.

Mijn goede vrienden Jeff, Skip en Gunther staan inmiddels ook op het dak van de Amsterdamse Montessori School aan de Apollolaan. De school is al een paar uur uit en de kindertjes liggen waarschijnlijk al te dromen over kinderdingen, maar ik heb de sleutel. De gymlerares is een scharrel van me. Af en toe lig ik tussen de gelijke liggers of op zo'n blauwe mat, waar je vroeger op moest worstelen.

'Doe jij het nog steeds met die gymlerares? Dat capuchondragende manwijf?' vraagt Gunther, terwijl hij een halve liter pauperbier opent.

'Nina de Kegel? Bij tussenpozen. En het draait niet eens om

de seks, ik doe het voornamelijk voor deze sleutel. Dit is mijn basisschool. Hier ben ik voor de eerste keer verliefd geworden, dit is de bakermat van mijn liefdesleven. Ik leef gewoon graag in het verleden. Seks hebben in de gymzaal waar ik vroeger paaltjes-voetbal en trefbal speelde. Dat raakt mij. Om daarna gezamenlijk te douchen in de douche waar ik en mijn vriendjes elkaar lachend onderplasten.'

'Het is wel raar,' mompelt Skip. 'Daar stond Herman Brood in 2001.' Hij wijst naar het tegenovergelegen Hilton.

'Heeft er iemand wat coke bij zich? Laten we Herman eren.'

Jeff lacht. 'Gast, ik ben een drugsdealer, natuurlijk heb ik wit bij me. Seks, drugs en rock-'n-roll. Alles voor Brood. Zijn laatste woorden waren niet voor niets "maak er nog een groot feest van".'

'Dit is mooi, jongens,' zeg ik, 'een eerbetoon op steenworpafstand. Ik wil vier lijntjes.' Jeff legt alles klaar, het marcheerpoeder schuifelt langzaam in formatie.

'Deze is voor Cuby and the Blizzards, de volgende is voor His Wild Romance, nummertje drie is voor Nina Hagen en de laatste is voor "Saturday Night". Mijn moeder is zo gek op dat nummer. Daar dansen we soms samen op, à la Mick Jagger, en dan wordt ze boos omdat ik wel dikke lippen heb.'

Ik klap in mijn handen, ik klap nooit in mijn handen. 'Oké jongens, jullie zijn hier om een reden. Natuurlijk ben ik ook gewoon blij om jullie te zien, maar Polly is dus zwanger en niet van mij. Nu heb ik Aafke en daar wil ik gelukkig mee worden, echt, maar eerst wil ik nog even de bloemetjes buitenzetten. Om het af te leren. Ik wil vijf vrouwen neuken, maar niet zomaar vrouwen uit de kroeg, nee, ik wil themaneuken. Dus ik wil dat jullie, mijn vrienden, een beroep, handicap, haarkleur, afkomst of wat dan ook noemen. Voorbeeld? Een vrouw met haar linkerbeen in het gips. Die moet ik dan gaan zoeken en neuken. Duidelijk?'

'Een harpiste. Vroeger toen ik klein was droomde ik altijd over een harpiste. Die kronkelende vingers, dat magische sfeertje eromheen. Een harp spelende bitch,' aldus Jeff.

'Een vrouw van tweeënzestig,' lacht Gunther, 'ik vind dat je een vrouw van tweeënzestig moet proberen te regelen.'

'Een politieagente, kom op zeg. Dat is toch de ultieme droom?' oppert Skip.

'Oké, nog maar twee,' zeg ik alsof ik blij ben met de eerste drie thema's.

'Een toiletjuffrouw,' lacht Gunther gemeen.

'Ja, en een BN'er.' Jeff maakt het vijftal compleet.

'Leuk jongens, lekker divers, morgen ga ik beginnen. Nu gaan we dansen of iets wat op dansen lijkt met drank in onze handen.'

We verlaten mijn oude basisschool en lopen in de richting van tram 16.

'Hou je taai, Herman,' roep ik in de richting van het Hilton, 'hou je taai.'

Normaal heb ik nooit bonje met uitsmijters, ik weet namelijk al mijn hele leven dat je met drie groepen mensen geen ruzie moet zoeken: de politie, uitsmijters en leraren. Het is een onmogelijke opgave om triomfantelijk uit een gevecht te komen met mannen die een van deze drie beroepen uitoefenen. Je kunt op zich wel winnen, maar dan heb je geen rekening gehouden met het busje dat onderweg is en vol zit met pisnijdige agenten die je maar al te graag willen molesteren. En zeg nou eerlijk, wie wil er nou door het leven gaan als de Amsterdamse Rodney King?

Hetzelfde geldt voor uitsmijters. Die staan via peperdure sciencefictiongadgets in contact met elkaar, dat wil zeggen dat als je er eentje slaat je vaak nog maar twee minuten hebt om de benen te nemen. Die twee minuten speling krijg je omdat brede uitsmijters geen fatsoenlijk sprintje kunnen trekken. Dit heeft vast iets te maken met steroïden, want ja, waarom zou je snel willen zijn als je oersterk bent? Rennen voor de tram? Fok dat, ik pak gewoon een auto op van de straat en gooi deze precies voor de tram zodat deze niet door kan tuffen. Kies je er toch voor om geen gebruik te maken van de bovengenoemde twee minuten, tja, dan sta je twee keer zestig seconden later oog in oog met twaalf freefighters. Deze woestelingen in goedkope driedelige pakken zorgen ervoor dat het ambulancepersoneel je niet veel later in drie delen van het trottoir moet oprapen. De derde en laatste groep, de leraren, die gaat heel anders te werk. Die hoeven je niet in elkaar te trappen, aangezien ze er in hun eentje voor kunnen zorgen dat je zonder havodiploma de toekomst tegemoet gaat.

Met mijn eigen wijsheden in het achterhoofd sta ik, in het gezelschap van mijn drie vrienden, voor de deur van een hippe uitgaansgelegenheid. We zien er goed uit. Mijn drie kornuiten hebben zich speciaal voor deze occasion in een colbertje gehesen. Niet echt mijn smaak, maar de vrouwtjes schijnen rode oortjes te krijgen van mannen in modieuze jasjes. En ik? Tja, ik heb eerder op de avond uren voor de spiegel gestaan om er zo nonchalant mogelijk uit te zien. Er staat een meisje achter ons in de rij en ze vraagt een sigaret aan Jeff. Hij is in een gulle bui, dus staat ze niet veel later trekjes te nemen van een gebietste peuk. Het is een leuk meisje en ze is overduidelijk geïnteresseerd in mijn rokende vriend en daar hij niet zo bekwaam is in het praten met vrouwen fluister ik iets in zijn oor. 'Zo'n mooi meisje als jij, hè, de mannen staan vast voor je in de rij.' Nog voor de ingang heeft Jeff al een telefoonnummer geregeld, helemaal geen slecht begin.

De twee uitsmijters kijken ons aan en willen weten waarom ik als enige geen colbert draag. 'Ik kom gewoon een drankje doen en wat dansjes maken, colbertjes bewaar ik voor bruiloften en begrafenissen.'

Het tweetal lijkt tevreden te zijn met het antwoord en maakt aanstalten om het dikke koord dat ons van de ingang scheidt los te koppelen. 'Oké prima jongens, aangezien jullie geen vaste klant zijn laten we jullie naar binnen voor vijftien euro de man.'

'Maar de entree is vijf euro per persoon, vanwaar die verhoogde prijs?' vraagt een kalme Gunther.

'Jullie zijn geen vaste klanten, alleen de vaste klanten betalen vijf euro.'

Verwonderd kijk ik voor me uit, nog nooit ben ik zo behandeld in mijn eigen stad. 'Kijk eens aan, Marco. Is dit niet dat grappige schrijvertje? Die lolbroek?' zegt de ene uitsmijter tegen de andere.

'Ja, ik ben een lolbroek, jullie tweeën zijn vechtjassen en deze drie gasten hier zijn helden op sokken. Nu we de hele klerenkast hebben gehad, heb ik wel trek in een biertje.'

De sfeer wordt grimmiger, de rij steeds rumoeriger en de twee uitsmijters genieten zichtbaar van hun macht.

'Oké gasten, nu is het wel leuk geweest. Jullie komen er niet in, ga lekker naar huis of zo.'

'Ik snap jullie echt niet,' zeg ik. 'Een uitsmijter is iemand die aangesteld is om ongewenste bezoekers de deur uit te zetten. Het woord zegt het al: ze smijten mensen eruit, maar hoe smijt je iemand eruit die nog niet eens binnen is? Moeten wij nu bang zijn omdat jullie groter zijn? Het is twee tegen vier. Stelletje afzichtelijke horecacyclopen.'

De aderen op de kale koppen van de twee tirannen worden steeds duidelijker zichtbaar. Omstanders proberen de boel nog te sussen, maar onze broederschap is te sterk en we maken ons op voor het moment suprême. Het enige waar we nu nog op zitten te wachten is een teken van God, een seintje van iets of iemand waardoor de op uitbarsten staande vulkaan een alles vernietigende lavastroom naar boven kan stuwen. Het uiterst subtiele teken van God vloert een uitsmijter. Gunther, Jeff & Skip pakken de cycloop die nog staat en ik geef de omgehakte treurwilg ferme vuistslagen in het gezicht, terwijl ik op zijn borstkast zit.

Na zestig seconden liggen er drie van ons en twee van hen op de grond, alleen Skip staat nog.

'Jongens, we moeten wegwezen; als we hier over een minuut nog zijn, dan delven we het onderspit,' schreeuw ik met een bloedlip.

We trekken een sprintje en duiken na een zigzaggende route door de binnenstad van Amsterdam een kroeg in. We nemen plaats aan de bar, de drie colbertjes en ik. De barman, een authentieke Mokumse kastelein, vraagt ons wat we in godsnaam hebben uitgespookt. Een terechte vraag, aangezien drie van ons gehavend de strijd uit zijn gekomen en zitten te bloeden op zijn barkrukken.

'Lopen knokken zeker, hè? Ach, dat kan gebeuren, knapen, biertje van het huis?'

Na een aantal biertjes moet ik urineren, moeizaam baan ik me een weg door de hossende menigte, totdat iemand mij op mijn linkerschouder tikt. Ik sta tegenover een oudere vrouw, zo'n echte Amsterdamse kroegtijger die tegen iedereen zegt dat ze haar tante moeten noemen. Tegelijkertijd trilt mijn telefoon in mijn broekzak. Het is Van Groningen.

'James? Ik hoor dat je weer terug in Nederland bent. Mijn vrouw zag je net door de Leidsestraat rennen.'

'Wacht even, Van Groningen, geef me tien seconden. Ben even met iemand aan het praten.

Waarom tikte u me aan?'

'Ik vind je een aantrekkelijke jongen. Een lekker nonchalant schoffie met een bloedlip. Daarnaast is mijn dochter gek op je boeken.'

'Mag ik vragen hoe oud u bent? Als u tweeënzestig bent, wil ik namelijk uw telefoonnummer.'

Ze schrijft haar telefoonnummer, een 020-nummer, op een bierviltje en gaat weer terug naar haar tafeltje.

'Van Groningen. Makker. Ja, ik ben weer terug. Polly is zwanger van die nieuwe vriend, mijn opvolger, en dat is nogal een streep door de rekening als je begrijpt wat ik bedoel. Met dat boek wilde ik haar terugkrijgen, maar nu wil ik haar niet meer terug.'

'Jezus, Worthy, jij bent echt geboren voor het ongeluk. Laten we snel gaan zitten voor een ander boek. En stuur mij toch maar even door wat je heb geschreven in Frankrijk. Had je al een titel?'

'*Ik Ruik Je In Mijn Baard.*'

'Krachtig, lief en vies. Heel erg, Worthy.'

'Het is ook gewoon de waarheid. Soms ruik ik Polly nog in mijn baard. Het is om gek van te worden. Morgen ga ik mezelf scheren. Voor het eerst in tien jaar. Nooit zal ik haar meer in mijn baard ruiken. Nooit meer, Van Groningen.'

21

Ik sta in een huiskamer op de Palmgracht. Voor mij staat de tweeënzestigjarige vrouw uit de bruine kroeg. Ze heeft een goedkope fles huiswijn en een zak cheese-onion-chips in haar handen. Ze knipoogt. 'Wij gaan er een gezellige nacht van maken, toch?'

De stoel waar ik op ga zitten, een bruinlederen draaistoel, wordt omringd door kitscherige fotolijstjes vol kleinkinderen. Kleine mannetjes met stekeltjeshaar en nog kleinere meisjes die aan het hoelahoepen zijn. Mijn blauwe bordeelsluipers verdwijnen half in het hoogpolige tapijt.

'Ik ben zo waanzinnig eenzaam,' zegt de vrouw opeens uit het niets. 'Mijn man Midas is alweer twaalf jaar dood.'

'Kanker?'

'Nee, hij moest onze dochter ophalen van Schiphol. Ze was naar Chili geweest. Naar haar verloofde, Michael, een professionele bruiloft-dj. Midas slikte wel wat medicijnen en op die bijsluiters stond ook wel iets over het beïnvloeden van rijgedrag, maar niets over mannen van drieënvijftig die van de Afsluitdijk rijden.'

'Het schrijven van bijsluiters, zo ben ik ooit begonnen. Ergens in West had je zo'n medicijnenfabriek. Uiteindelijk heb ik er niet heel lang gewerkt, mede dankzij zinnen als: "Deze pil kan uw rijgedrag beïnvloeden. Pak dus vooral niet de auto, pak een

bulldozer. De bestuurder van een bulldozer gaat nooit dood."
Hoe heet u eigenlijk?'

'Map, ik heet Map.'

De slaapkamer van Map ruikt naar mottenballen, wanhoop en
luchtverfrisser. Naast haar iets te kleine bed staat een strijkplank
en boven het hoofdeinde hangt een vergeelde filmposter van
Ciske de Rat.

'Waar is het toilet?'

Map heeft alleen nog een bh aan en wijst in de richting van een
donkerblauwe deur. Ik staar naar de gladgeschoren onderbuur-
vrouw van haar rimpelige onderbuik.

'Waar precies?'

'Daar! Die donkerblauwe deur naast de boekenkast.'

Mijn straal speelt tikkertje met iets wat op het zilveren papiertje lijkt waar ze tubes tandpasta mee afsluiten. Het zilver wint, ik
stop mezelf weer terug in mijn vanmiddag aangeschafte boxershort en kijk naar een Wereld Natuur Fonds-kalender boven het
wasbakje. Ene Koos is vandaag jarig. Waarom is Map niet op
zijn verjaardag? Waarom ligt ze nu naakt in bed te wachten op
een eenvoudig schrijvertje? Ik wrijf hardhandig over mijn zak
en breng de vingers naar mijn neus. Misschien is Map vandaag
wel in een orale bui en tja, dan moet ik natuurlijk wel fris ruiken. Mijn ballen ruiken vertrouwd, toch smeer ik, puur voor de
zekerheid, wat lavendelkleurige handzeep op de rozijnachtige
huid.

Map ligt poedelnaakt tussen een tiental kussens met luipaard-
motief.

'Je ziet er mooi uit,' zeg ik.

Ze staat op en trekt mijn boxer teder naar beneden. De spat-
aderen op haar witte kuiten lijken op bloemloze rozenstengels.
We zijn rottend hout. Twee Pinokkio's vol splinters, en we gaan

alleen maar met elkaar neuken omdat we onszelf heel eventjes mens willen voelen. Zij is Midas kwijt, ik ben Polly kwijt. Dit gaat verre van fraai worden. Haar borsten hangen zoals de zakjes vogelvoer op het balkon van mijn ouderlijk huis. Als een uitgestorven koolmees knabbel ik aan haar vettige tepels. De koude rillingen lopen over mijn rug, de ijzigheid werkt verlammend. Kut, ik ben zojuist van de Afsluitdijk gereden.

De volgende ochtend sta ik op de tramhalte voor het Concertgebouw met een zakje boterhammen in mijn linkerhand. Map smeerde altijd acht boterhammen voor Midas, veelal met gelardeerde lever, maar vandaag zit er cornedbeef op. Terwijl ik de lunch van een dode man oppeuzel vraag ik me af hoe je in godsnaam een harp vervoert. Ik weet het antwoord niet, dus bel ik mijn moeder op.

'Mam, jij had ooit toch een harpiste als vriendin? Willemijn? Anna? Margriet?'

'Pippa! Ja, die speelde harp. Weet je nog dat je zeven was en harp probeerde te spelen met je kleine erectie?'

'Nee mam, maar hoe klonk het?'

'Kort.'

'Heel leuk. Maar wat ik me dus afvraag, hè, hoe vervoerde Pippa dat gigantische tokkelinstrument eigenlijk?'

'Ze had een blauw Mercedesbusje. Daarmee toerde ze door Europa en met Europa bedoel ik Ierland. Alleen Ieren houden van harpmuziek.'

'Oké, dus ik moet op busjes letten. Vrouwen met busjes.'

'James? Waar ben je nu weer mee bezig? Moet ik me zorgen maken?'

'Nee, ik wil een bandje beginnen, maar dan alleen met hele oude instrumenten. Ik noem een klavecimbel, lier, citer, luit en dus ook een harp. Lijkt me prachtig. Efteling-rock.'

'Ja ja, veel plezier nog in je fantasiewereldje. Dag.'
'Dag, Prinses Pannenkoek de Derde.'

Er stopt een blauwgrijs busje voor het Concertgebouw. Een man stapt uit. Een vrouw stapt uit. Gezamenlijk trekken ze een grote kist uit de laadruimte.

'Is dat een harp?' vraag ik geïnteresseerd.

'Nee, een cello,' antwoordt de celliste kittelorig.

'Weet jij of er vandaag ook nog een harpiste komt? Ik ben van weekblad de *Nieuwe Revu* en ik moet een artikel schrijven over harpistes met de ziekte van Parkinson. Het is, zoals je vast al hebt begrepen, een ietwat komisch artikel, maar ik moet nog wat vragen stellen aan een echte harpiste.'

'Saskia komt straks, die speelt harp, maar ik zou de ziekte van Parkinson even laten vallen als ik jou was. Haar vader heeft Parkinson, vandaar.'

'Bedankt voor de tip, ik zal het onthouden. Wat voor kleur busje heeft Saskia?'

'Perrier-groen,' interrumpeert de man, hij speelt de rol van chagrijnige vader erg overtuigend.

'Perrier-groen?'

'Mijn vader is dol op het verzinnen van nieuwe kleuren, het is een ziekte. De ziekte van Palet. Ons gezin bevindt zich momenteel in een heel donkere periode.'

'Gerda-Havertong-zwart?' vraag ik.

'Voortreffelijk!' roept haar vader.

'En bedankt,' antwoordt zijn muzikale dochter zuchtend.

Saskia speelt harp in de achterbak van haar groene busje. Ze draagt rode cowboylaarzen en voor de rest niets. Soms vraag ik me af waarom het mij zo makkelijk vergaat, de kunst van het verleiden, maar ik wil daar helemaal niet aan denken. Het heeft namelijk niets met mij van doen, maar enkel en alleen met het feit dat ik af en toe met mijn boeventronie op de beeldbuis verschijn. *Hints, De Wereld Draait Door*, noem het maar of ik ben er geweest. Daarnaast hebben mijn boeken ook nog een aantal kleine prijzen gewonnen. *Trammelant, de Beffende Specht* is bijvoorbeeld nog steeds een joekel van een hit bij studenten. Grotendeels omdat iedere pagina begint met 'lul' of 'kut'.

Saskia is zo'n studentje, dat had ik gelijk al door. Geruit bloesje, twee knoopjes open, een stel puike biertieten en een ribfluweel veeartsrokje. Als je ook maar een beetje bekend bent, doen vrouwen veel minder moeilijk over condooms. Ik zie ze al met hun vriendinnen. Trots. 'Ik heb goed en slecht nieuws, jongens. Het slechte nieuws? Ik heb chlamydia. In mijn kut. Het goede nieuws? Ik heb het van James Worthy. Ja, die dus. Hij was laatst bij *Hints*. Goed, hè? Precies. Hij moest *Een vlucht regenwulpen* van Maarten 't Hart en *Transformers II* uitbeelden.'

'Ik doe dit normaal nooit, hoor,' zegt ze, terwijl ze mijn erectie tussen de snaren van haar harp manoeuvreert.

'Dit is voor mij ook geen vaste prik. Een harpiste neuken in een busje, Jezus, we staan gewoon voor het Concertgebouw geparkeerd. Toen ik klein was en hier met de tram voorbij reed, keek ik altijd naar die gouden harp op het dak.'

'Ik wil dat je de eerste zin van *Trammelant, de Beffende Specht* opleest. Nu, terwijl je in me bent.'

'Doe niet zo zot.'

'Ik wil het.'

'Oké. Komt ie. "Kut. Ik mis de tijd van bufferende porno, dat laden was gewoon een plagerige striptease. Snel internet heeft de pornoromantiek vermoord."'

'Nu wil ik dat je mijn kutje likt.'

'Zeg alsjeblieft geen kutje. Zeker niet zo los, zo zonder bijvoeglijk naamwoord. Drassig kutje? Prima. Moerassig kutje?

Niets meer aan veranderen. Sponzig kutje? Bravo! Maar kom niet aan met een los kutje. Vieze oude mannen met stukken toffee in hun broekzak zeggen kutje.'

'Lik mijn kletsnatte kutje.'

'Dat is al stukken beter, zompig tokkelteefje.'

'Hallo? Spreek ik met meneer Brusselmans? Saskia de harpiste hier. Ik ben zojuist gebeft door James Worthy in een geparkeerd busje voor het Amsterdamse Concertgebouw. Heeft u weleens een mondharp bespeeld? Dat dacht ik al. Dat instrument klinkt als springende tekenfilmkikkers. Mijn clitoris, meneer Brusselmans, mijn clitoris heeft een opkikker van jewelste gekregen. Alvast een heel fijn weekend. Heeft u al plannen? Ik ga uw bundel *Het mooie kotsende meisje* lezen. Daag.'

Genoeg is genoeg. Hier word ik niet vrolijk van. Tijd om volwassen te worden. Ik ben klaar met themaneuken. Saskia en Map volstaan, nu is de weg vrij voor Aafke. Zij is mijn toekomst, de moeder van mijn ongeboren kind en de vrouw die ik nu ga bellen.

'Aaf, niet schrikken, maar jij komt bij me wonen. Nu. Vandaag. Waar ben je?'

'Op de Theaterschool.'

'Die zit op de Jodenbreestraat, toch?'

'Helemaal goed, lief. Ik heb wel nog een uurtje les.'

'Geen probleem, ik drink ergens een biertje. Tot zo, actrice. Je hebt de hoofdrol.'

'Tot zo, schrijvertje. Ik hou van je.'

'En ik van jou. En ik van jou.'

22

Met een sigaret in de hand sta ik voor de toneelschool. Ik ben geen kettingroker. Nee, echt lekker vind ik het niet, wel vind ik het plezierig. Het geluid, de oranje gloed die naar achteren schuift als een voorhuid en de wereld laat vervagen. Alles is mooier als je niet alles kunt zien. Aan de overkant van de straat schittert de oude woning van Rembrandt van Rijn en door de sigarettenrook zie ik de architectonische wrat ernaast niet. Roken werkt kalmerend, net als houthakken. Af en toe ga ik met wat vrienden houthakken in het Amsterdamse Bos. Niemand van ons heeft een open haard, maar het omhakken van zo'n zieke boom brengt rust in onze hectische hoofden. Roken is houthakken voor de ziel.

'Staat mijn vent nou te paffen?'

'Het is maar een menthol. Hoe was school?'

Aafke springt op mijn rug en zo loop ik in de richting van het Waterlooplein. Het is *Turks Fruit* zonder fiets.

'Wat gaan we zo eten?' vraagt ze familiair.

'Hoe sta jij tegenover macaroni?'

'Voornamelijk met de rug ernaartoe.'

'Jammer dan. Ik ga macaroni voor ons maken.'

'Waarom dan, James?'

'Liefde is twee mensen die samen van macaroni kunnen genieten. Het gaat niet om wat je eet, het gaat om met wie je het eet.'

'Maar dan wel met hamblokjes en kaassaus.'

'Dan mag ik het toetje uitkiezen.'

'Hopjesvla?'

'Van je levensdagen niet. Griesmeelpudding!'

We lopen hand in hand door de Czaar Peterstraat, in de verte dendert een internationale trein voorbij.

'Dus dit is mijn nieuwe leefomgeving? Op zich heeft deze straat best wel iets weg van Rotterdam. Wil je echt dat ik bij je kom wonen? Heb je wel genoeg ruimte?'

'Wij gaan morgen naar Rotterdam om je spullen te halen. Roemer heeft een stationwagen. Wij komen er wel. Dit hier is je nieuwe straat. Dit hier is je nieuwe leven.'

Ties zit voor de deur op het stoepje. Zijn moeder, mijn Lara, is haar zoons haar aan het knippen.

'Dag lieve buren, mag ik jullie voorstellen aan Aafke? Mijn teerbeminde,' roep ik plechtig.

Ties lacht. 'Teerbeminde is vriendin, toch?' Lara kijkt minder vrolijk, ochtendseks met de buurman zit er niet meer in.

'Hoi! Ik ben Aafke, zesentwintig jaar. Doordeweeks ga ik naar de toneelschool en ik zit op ballet.'

'Hoi! Ik ben Ties. Net tien en ik weet alles van dinosauriërs.'

'Shit, je was jarig!' zeg ik. 'Morgen haal ik een cadeautje voor je. Beloofd.'

Lara kijkt nog steeds zuinig. Ik praat morgen wel met haar. De monumentale *milf* aan wie ik vroeger bijna iedere dag een kopje suiker vroeg.

'Dag lieve schatten, ik ga koken. Macaroni.'

'Gadverdamme!' krijst Ties. 'Italiaanse maden.'

Aafke loopt de steile trappen op, moeizaam, te moeizaam voor iemand die op ballet zit.

'Hé James, die Lara, hè, heb je die geneukt?'

'Veelvuldig, ik ga niet tegen je liegen. Ik ga nooit tegen jou liegen. Lara en ik hebben een geschiedenis. Grotendeels lichamelijk. We waren alle twee heel eenzaam en dat wekt automatisch een soort magnetische aantrekkingskracht op.'

'Als je haar nu zo ziet, wat zie je dan?'

'Een alleenstaande moeder die ik knuffels wil geven. Meer niet.'

Ik open voorzichtig de deur van mijn huis. Shit. Mijn huis was echt een ranzige zwijnenstal toen ik naar Frankrijk vertrok. Een tentoonstelling van zelfhaat. Overal pizzadozen, volgespoten condooms, beschimmelde broodjes kaas en kots van kat Keesje. En mijn bed, er lag niet eens meer een laken op, er lag niets meer op, ik sliep dikwijls in mijn kleren. Mijn badkamer was er waarschijnlijk nog het ergste aan toe. Er kwamen fruitvliegjes uit mijn wasbak en ik deed in die tijd niet meer aan wc-papier. Ik veegde mezelf af aan de truitjes en topjes die Polly had laten liggen. Die kledingstukken gooide ik dan weer ergens in een hoek naast de douche. Godverdomme. Mijn arme moeder heeft mijn kat verzorgd terwijl ik in Frankrijk zat. Als ze die ondergepoepte truitjes maar niet heeft gevonden. Fuck it, ik doe nu de deur open.

Keesje springt op mijn voeten. De kleine zwarte hoer. Ik zie vooralsnog geen fruitvliegjes en de huiskamer oogt smetteloos.

'Hier kan ik wel wonen,' zegt Aafke verheugd. 'Alleen die poster van Alfred Hitchcock moet echt weg.'

'Die originele filmposter van *Psycho* gaat helemaal nergens heen. Kom, ik laat je boven even zien. Ons slaapvertrek en de badkamer.'

'Schone lakens en alles. Wow. Indrukwekkend. Waar is de badkamer?'

Ik wijs in de richting van de badkamer en hoop dat de bezoe-

delde bovenstukjes van Polly als sneeuw voor de zon zijn verdwenen.

'Wat een prima badkamer, er ligt alleen wel een briefje op de
pot. Moet ik het voorlezen?'

'Ga je gang.'

'Mijn kleine Jamie. Ik zag dat je geen papieren wc-papier meer
had, dus heb ik even wat rollen voor je gehaald. Liefs. Je moeder.'

Mijn moeder is de allerhoogste, het opperwezen. Teuntje Krijger, ik hou van je.

De elleboogvormige pastasoort zinkt in het zo goed als kokende
water, Aafke schenkt twee glazen wijn in en Keesje tikt een fruit-
vliegje uit de lucht.

'Luister je altijd naar de radio als je kookt?'

'Ik luister bijna altijd naar de radio, lieve schat, vooral in de
nacht. Van die programma's met bellers, ik vind dat wondermooi.
Je hoort de verhalen van dronken mensen, eenzame mensen en
dronken eenzame mensen. Over vroeger toen ze nog gelukkig
waren, iemand hadden. Maar muziek is ook fijn. Zoals nu.'

'Hoe heet dit nummer? Het refreintje is prachtig.'

'Dit is "Lippy Kids" van Elbow. Een bandje uit Manchester.
Build a rocket boys! Build a rocket boys! Wat is jouw favoriete liedje?'

'"This Modern Love" van Bloc Party. En die van jou?'

'"Silvia" van Miike Snow. Mag ik even zeggen dat ik het heerlijk vind om je te leren kennen? Echt. Natuurlijk kennen we elkaar al, maar ik ben heel lang mezelf niet geweest. Dit nu, de
macaronimaker, dit ben ik. De radioluisteraar. De-alles-voor-
jou-overhebber.'

We zitten aan de keukentafel, de macaroni smaakt flauw, maar ik
ben toch aan het smullen. Aafke draagt mijn sloffen, ik ben verliefd. Tot over mijn oren, tot over haar aureool.

'Denk je dat ik zwanger ben?' vraagt ze, terwijl er een hamblokje uit haar mond valt.

'Morgen halen we zo'n test en dan gaan we naar de Prénatal en dan doen we daar die test. Heb je daar wc's, denk je? Als je zwanger bent, kunnen we gelijk wat dingen kopen en ben je niet zwanger dan maak ik je zwanger in de Prénatal.'

'Ha ha, jij bent niet goed snik. Waarom ook niet? Waarom ook niet! Op een onbegrijpelijke manier klinkt het nog romantisch ook.'

Ik hoop dat ze zwanger is. Aafke is mooi genoeg om een kind van mij niet lelijk te maken. Haar wimpers bijvoorbeeld. Ik heb nooit echt veel met wimpers gehad, ze zitten er om je ogen te beschermen, maar eindigen uiteindelijk altijd in het hart van hun fragiele werkgever. Die van Aafke zijn anders, ze zijn zo lang dat het net lijkt alsof haar ogen een brug aan het bouwen zijn. Wat het nut van die brug is, weet ik niet, maar sommige mooie dingen worden nou eenmaal nog mooier van een afstandje. Haar benen zijn ook al zo hemels lang. Bij veel vrouwen vormen de knieën een achilleshiel of gooien de slappe kuiten roet in het eten, maar in deze vleeskleurige panty zit perfectie verstopt. En over haar buste kan ik kort zijn, maar dat wil ik helemaal niet. Sommige borsten zijn speciaal, dat zie je direct, ze hebben op alles een antwoord en halen hulp als je in nood bent. Het zijn de Lassies onder de tieten.

'Kom, we gaan naar bed,' zeg ik, terwijl ik het laatste bordje afdroog. 'We hebben morgen een drukke dag.'

'Wat gaan we allemaal doen dan?'

'Eerst halen we jouw spullen op, dan gaan we in de Prénatal kijken of je zwanger bent. En als laatste gaan we een cadeautje voor Ties kopen. Een kitten of zo. Hij is gek op dinosauriërs, dus dan noemen we dat beest Rex.'

'Je bent lief, James.'
'Jij bent mooi, Aafke.'
'Welterusten, James.'
'Welterusten, Aafke.'

23

Het is druk in het Prénatal warenhuis. Omvangrijke vrouwen in gemakkelijk zittende kledij strompelen door de gangpaden, terwijl de mannen hun hoofd schudden en binnensmonds vloeken. 'O, kijk Koos, deze commode past perfect bij onze vloerbedekking.' Koos knikt zogenaamd enthousiast, maar zijn ogen zeggen maar één ding: GEZINSDRAMA!

Aafke zit op de wc met een goedkope zwangerschapstest in haar handen, ik zit gehurkt voor haar.

'Geef die test maar aan mij,' zeg ik. 'Ik hou hem in de straal. Dat brengt geluk.'

'Maar dan bestaat de kans dat ik over je hand urineer. Dat is toch niet bevorderlijk voor je lichamelijke hygiëne?'

'Ach, het is gewoon water met een smaakje. Plas nou maar. Ik prikkel de actrice in je wel even. Ehm. Ik ben aangevallen door een levensgevaarlijke kwal. Het gif zit in mijn rechterhand en stroomt langzaam in de richting van mijn hart. Als jij nu niet over mijn hand heen plast zal ik de pijp uit gaan. Ondraaglijke pijnen. Ik heb niet lang meer. Dus plas. Besprenkel mijn gehavende vuist, irrigeer, mijn liefste, irrigeer!'

Haar warmte gutst over mijn hand en ik duw de test, pietjepreciezerig, de lichtgelige waterval in.

Nu vijf minuten wachten.

We zoenen.

We praten.

We lachen.

'Dit soort dagen zijn goud, Aaf. Ze horen thuis in Fort Knox.'

'Maar James, hoe zit het nou met dat boek over Polly?'

'*Ik Ruik Je In Mijn Baard?*'

'Ja. Mag de Nederlandse lezer nog mee ruiken?'

'Het heeft geen nut meer. Het is zinloos bidden voor de deur van een dove. Het is water naar de zee dragen, een sisyfusarbeid. Natuurlijk wilde ik dat brok marmer de berg op krijgen, net als Sisyphus, maar dat blok marmer wilde de berg niet op. Soms moet een mens capituleren. Ik ben een trots man, ik kan eeuwig blijven doorvechten voor een verloren zaak, gepassioneerd en onwankelbaar optimistisch, maar in alle uitzichtloosheid was ik mijn eigen aanzien verloren. Je weet toch wel dat als je vroeger als klein kind iets kon, een trucje of zo, dat je die onzin dan maar bleef herhalen? Voor je ouders, omdat je dacht dat ze het leuk vonden? Een dansje, goocheltruc, mop of koprol? Nou, ik ben helemaal klaar met koprollen voor Polly. Ze kijkt niet eens.'

'Ik kijk, James. Ik kijk. Je bent een gymnast van de bovenste plank.'

Onze ogen zitten dicht, althans die van mij wel, en we tellen af. '5, 4, 3, 2, 1.' Ik kijk naar haar, zij kijkt naar de test, die vijf minuten geleden nog stoomde.

'Niet zeggen! Niet zeggen! Als ik papa word wil ik dat je me zoent. Zo niet dan trek je nu je kleren uit en proberen we het onmiddellijk opnieuw. En opnieuw. En opnieuw. En op...'

Aafke drukt haar lippen tegen de mijne aan. Onze tongen gaan met de klok mee, maar de tijd staat stil. Ik ga door mijn knieën en hang met mijn lippen voor haar schede.

'Welkom, kleine vriend.'

'Of vriendin.'

'Welkom, kleine vriend of vriendin. Mama en papa wachten op je.'

Met een fles champagne en een iets te grote pluchen schildpad lopen we het Vondelpark in. De ogen van Aafke stralen zoete dromen, ze is een slaapwandelaar bij daglicht. Een groep Italiaanse toeristen wiebelt voorbij op huurfietsen en Aafke knijpt in mijn hand alsof het om een tube nachtcrème gaat. Twee studentikoze jongens gooien een frisbee naar elkaar over, een hond staat tussen ze in, als een eiland, besluiteloos. Telkens als het arme beest een kant kiest vliegt de groene schijf weer de andere kant op. Het leven in een notendop.

'Ik ben zo gelukkig met jou, Aaf.'

'Hoe gelukkig?'

'Waarom beantwoorden vrouwen een compliment altijd met een vraag?'

'Omdat mannen vrijwel nooit intentieloos complimenteren.'

'Hoe gelukkig ik ben? Het is 11 september 2001 en ik ben in New York om te praten met een Amerikaanse uitgever die mijn werk wil vertalen. De uitgever bevindt zich op de 103e verdieping van de noordelijke WTC-toren. Het is 8 uur 38 lokale tijd. Ik ben vroeg. Met een beker hippe koffie in de hand, net als een echte Amerikaan, stap ik de lift in. Een dikke man, type boekhouder, vergezelt mij. Tientallen zweetdruppels op zijn voorhoofd doen een wedstrijdje wie er het eerst bij zijn wenkbrauwen is. Wat volgt is een fotofinish. Een wat oudere zakenvrouw, type Hillary Clinton, vergezelt ons. Op haar rode mantelpakje prijkt een zwarte vormloze broche. Ze draagt hetzelfde luchtje als mijn moeder. Eau Dynamisante van Clarins. Eindelijk gaan de liftdeuren dicht. Langzaam. Langzaam gaan de liftdeuren van mijn leven dicht. Tot er een voet tussen de deuren verschijnt. Het is een bruinlederen laarsje, maat...'

'Negenendertig en een half.'

'Maatje negenendertig en een half. Je pakt mijn rechterhand en zegt dat ik een snipperdag moet nemen. Normaal gesproken heb ik vrij weinig met impulsiviteit, maar je bent zo bevallig. Blonde haren golven tot aan je schouders. De zee neemt, de zee geeft. Je barmhartige ogen ontfermen zich over mij, ik moet mee, verdwaasd stap ik uit de lift. De dikke man en de zakenvrouw noemen mij een domme lul. "*Stupid dick!*"

Een oorverdovende knal, de wereld vergaat, Amerika wordt in het hart geraakt. Het sneeuwt wanhoop, de nietmachines en ballpoints stuiteren over de stoep, alles staat in de fik. Jij kust me, jij slokt me op. Veiligheid. Jona en de walvis. Zo gelukkig ben ik met je, Aafke.'

'Dus je bent alleen maar gelukkig met me omdat ik je leven heb gered en je weer veilig op het strand heb uitgespuugd?'

'Je bent een godverdomme engel, Aaf. Een godverdomme engel.'

We zitten op mijn favoriete bankje in het Vondelpark. Ingang Amstelveenseweg, daar bij het water. Meerkoeten pesten de eenden en de eenden pesten de minder succesvolle eenden. De meerkoeten zijn de baas van de plas, totdat er een hond in het water springt. 'Wodan, kom hier!' Het baasje, een intellectuele Oud-Zuider, ik gok op een liedjesschrijver, rent over het gras, om vervolgens woest te gaan staan stampen aan de waterkant. 'Wodan! Mama heeft je vanmiddag uren geborsteld. Achterlijk mormel, nu krijg ik weer de volle laag. Je wordt bedankt, Wodan. Als jij sterft nemen we een kat.'

'Het gaat allemaal wel snel, hè?' vraag ik voordat ik mijn keel smeer met een paar slokken Veuve Clicquot.

'Ach, wat is snel, James? Alle slechte dingen in dit leven komen en gaan snel, die zijn er opeens als je wakker wordt of dromerig de straat oversteekt. Op de goede dingen, zoals geluk, lijken we eeuwig te moeten wachten en als het er dan eindelijk is kijken we nog steeds de kat uit de boom. Mensen nemen pas kinderen als hun leven op orde is, als er financiële stabiliteit is en dat soort lariekoek. Baby's hebben geen vakantiehuis in Annecy of een terreinwagen met vierwielaandrijving nodig. Toen ik werd geboren, werkte mijn vader in een chocoladefabriek en mijn moeder was werkloos. We hadden weinig, maar we hadden meer dan genoeg.'

'Mensen wachten op het juiste moment en als dat moment is aangebroken zijn ze allang weer op elkaar uitgekeken. Wij twee-en zijn voor elkaar gemaakt als lommerds voor Las Vegas. Ik zag je staan met dat kartonnen bordje, zonder angst en ongedoucht. Eerst wilde ik je aan Roemer geven, zo ben ik, mijn generositeit is uniek, maar mijn mensenkennis is van een andere planeet. Roemer verdrinkt in jouw levendigheid. Daarnaast ben jij gewoon een roze Mentos, die wil ik voor mezelf houden. Een gele of een oranje had ik met alle liefde aan Roemer gedoneerd.'

In het Blauwe Theehuis branden kaarsjes en de muziek die lafjes uit de boxen komt, zweeft tussen lounge en slaapverwekkend in. Aafke gaat aan een tafeltje zitten en ik pak een bordspel van de rommelige stapel spellen die naast de bar staat. Scrabble.

'Moet ik Scrabble gaan spelen met een schrijver?'

'Scrabble gaat niet om winnen of woordwaardes, ik wil gewoon leuke woorden maken en jouw minder leuke woorden opleuken.'

Er komt een serveerster naast ons tafeltje staan. Een klein Indonesisch meisje met een bekend gezicht.

'James Worthy, toch?' zegt de kelnerin.

'Ken ik jou? Ik ken jou. Waar ken ik jou van?'

'Van Paradiso.'

Nu weet ik het weer. De gele damesonderbroek.

'Hebben we gedanst?'

'Nee.'

'Hebben we een fijn gesprek gehad?'

'Nee, dat ook niet.'

'Misschien heb je seks met haar gehad, James,' zegt Aafke met een zucht. 'Ik wil hier weg.'

'Maar ik heb trek in warme chocolademelk met slagroom.'

'James, ik ga,' en ze stormt de trap af.

'Pas nou op met die trap, je bent zwanger.'

Ik hoor haar voetstappen in het kiezelpad beneden, het zijn korte, snelle stappen.

'Bedankt, hè, gele onderbroek.' Ik hijs mezelf in mijn kaki zeiljas en loop in de richting van de trap. 'Echt heel erg bedankt. Toiletsletje.'

Aafke is aan het snelwandelen, ik ren. Net als vroeger tijdens de jaarlijkse Brandweerloop in het Vondelpark. Die liep ik altijd met vriendjes Mathias en Jules, en mijn vader natuurlijk. Hij liep altijd met ons mee, tot tweehonderd meter voor de finish. Dan zei hij: 'Nu sprinten jongens,' en daar gingen we dan. Met oververmoeide benen, schrale balzakken en tranen in onze ogen, kijken wie er het snelste was. Het ging altijd tussen Mathias en mij, Jules deed voor spek en bonen mee, en de medailles.

'Jezus James, ik ben zo bang. Bang dat overal waar we in Amsterdam komen er altijd wel een vrouw aanwezig is die jij hebt gehad. Al die wijven denken dan natuurlijk dat ik het volgende slachtoffer ben, een nummertje, en zo kijken ze dan ook naar me. Lacherig doch zusterlijk, alsof ik nu bij het clubje hoor. Ik ben niet een van je mormoonse vrouwtjes en zo wil ik me ook niet voelen. Zeg iets liefs, klootzak.'

'Wat kan ik zeggen, Aafke? Ik heb me nooit anders voorgedaan, dit is wie ik ben. Natuurlijk heb ik een extreem losbandige periode achter de rug, maar ik ben geen slechte man. Ja, er zijn wat serveersters die ik heb geneukt. Ja, er zijn wat harpistes die ik heb geneukt. Ja, er zijn wat buurvrouwen die ik heb geneukt, maar ik ben ook niet blij met dat tijdperk, ik koester het niet, ik haat mezelf om die tijd.'

'Hoe erg haat je jezelf om die tijd?'

'Heb jij weleens kennisgemaakt met mijn haat voor dolfijnen?'

'Ik geloof van niet.'

'Het was Polly haar grote droom om met dolfijnen te zwemmen, maar ik haat ze en daar hadden we dan altijd ruzie over. "Ja, maar dolfijnen zijn heel slim, ze kunnen zichzelf herkennen in de spiegel, het zijn hele intelligente dieren," zei ze dan driftig. Mijn kat kan deuren openen, achteruit de trap op lopen en de post openmaken, waarom wil niemand met haar zwemmen? Altijd als ik een blikje tonijn wil kopen, word ik geconfronteerd met teksten als "deze tonijn is op een dolfijnvriendelijke manier gevangen", dan hoeft het van mij niet meer. Hoezo zijn dolfijnen meer waard dan tonijn? Tonijn is lekker, dolfijn niet. Tonijn is heerlijk op een broodje, dolfijnen kunnen alleen maar van die domme trucjes. "Ja maar ze zijn heel intelligent, ze herkennen zichzelf in de spiegel," herhaalde ze dan. Die beesten zijn hartstikke dom, ze zwemmen altijd in de netten van tonijnvissers, wat kan mij het nou rotten dat ze met zichzelf kunnen flirten in de spiegel.'

'Jij bent een zorgwekkende man, James. En wanneer zeg je nou iets liefs?'

'Ik blijf voor altijd bij jou, Aafke, echt, zelfs als ons kind op een dolfijn lijkt.'

24

Aafke ligt hoogzwanger op bed met mijn nieuwe manuscript. Er ligt een koud washandje op haar voorhoofd en ik knip haar te lange teennagels.

'Je tenen hebben spoilers.'

'Dit vind ik een mooi stukje, schat.'

'Welk stuk?'

Aafke leest voor uit *Maak me een kind hoor, maak me een kind*.

'Soms lig ik op haar buik en luister naar de verhalen van onze zoon. Over zijn avonturen in haar buik. Af en toe ben ik best een beetje jaloers op hem, ik zit ook weleens in haar, maar ik zit nooit echt in haar. Het lijkt mij wondermooi. In haar. Al die bloedvaten en doorzichtigheid, volgens mij is het een en al glas in lood daarbinnen. Puur uit jaloezie geef ik dan een klapje op de buik. Hij schopt dan terug, en terecht.'

'Even serieus, Aaf, ik heb nog nooit zulke lange teennagels gezien. Je nagels lijken op de sleep van een bruidsjurk.'

Ze lacht, haar lach steelt mijn verdriet en verkoopt het slecht geklede goedje door aan de hoogste bieder. 'Wil je zo wat chocoladecroissants voor me halen?'

'Bij die Franse bakker op het Damrak?'

'Dat zijn wel de lekkerste.'

'Heb je nog meer nodig?'

'Een teiltje of zo. Als ik beneden zit en moet plassen, die trap, het lukt niet meer. Een teiltje dus. En chocoladecroissants.'

Het Damrak ligt er beroerd bij, de zogenaamde rode loper van de hoofdstad oogt zoals altijd als een kreupele heroïnehoer met een koortslip. Souvenirwinkels met peper-en-zoutstellen in de vorm van een tampeloeres, een bar waar lelijke wijven met fopjopen je voor een tientje een slecht getapt biertje overhandigen en dan heb ik het nog niet eens over al die fastfoodrestaurants. De rode loper van Amsterdam is een gefrituurde meubelboulevard, maar ja, mijn Aafke heeft nou eenmaal trek in zoete Franse ontbijt-broodjes. Trams ringelen, rondvaartboten met beslagen ruiten dobberen in het water en ik wil naar huis.

Bewapend met zes halfwarme croissants en een lila teiltje open ik onze voordeur. De postbode heeft de deur wederom gebar-ricadeerd met brieven. Vrijwel direct valt mijn oog op een over-dreven kleurrijk envelopje vol fladderende ooievaars. Het kaartje zelf is roze. Op de voorkant staat 'Fee' en op de achterkant staat 'Jij hebt twee kleine handjes, geef ons er ieder een. Dan leiden wij je door het leven, tot je zegt "ik kan het wel alleen".' Schokkend. Dat ze voor rijm heeft gekozen op het geboortekaartje. Fee is 51 centimeter lang en weegt 3479 gram. Ik weet nooit zo goed wat ik met dat soort informatie moet, ik ben toch geen kleermaker of zo.

Aafke begint aan haar derde croissant. 'Je moet haar bellen, Ja-mes.'
    'Ach, ze heeft het vast heel druk nu, ik schrijf wel een brief.'
    'Polly was, met de nadruk op was, de liefde van je leven. Dan moet je ook minimaal een knuffel meesturen.'

'Ik stuur wel een pluchen dwergoeistiti mee.'

'Laat het je echt zo koud?'

'Het heeft weinig met temperatuur te maken. Ik ben gewoon opgelucht, maar voor de rest voel ik inderdaad minder dan ik vooraf had verwacht. Jij bent zwanger, jij bent het allerbelangrijkste. Dat Polly een Fee uit haar binnenste heeft getoverd, het is niet meer van belang. Ik ben blij voor haar en Pete, oprecht, maar jij staat op springen. Kijk je buik dan, lieve Aafke, alsof je een potvis onder je trui probeert te verstoppen.'

25

We liggen naakt op bed, de herfst klopt met behulp van stevige regendruppels op de ramen en Aafke leest een boek over boeddhisme voor moeders. Ik ben geil, maar zij voelt zich momenteel te groot voor seks.

'Ik wil nu even niet,' zei ze twee dagen geleden nog, 'kom op, ik lijk wel een springkasteel.'

Dus wat ik doe is masturberen, terwijl ze naast me ligt te lezen. Zo nu en dan voel ik wel een ongeïnteresseerd stel vingers door mijn kluwen schaamhaar gaan, maar dat mag geen naam hebben. Als ik geluk heb legt ze het verlichtende boekwerk weg en fluistert ze stoute dingen in mijn rechteroor. Ik vind het ook helemaal niet ergerniswekkend als ze niets doet, ze heeft een goed excuus, het beste excuus.

'Als je morgen weer chocoladecroissants voor me haalt, mag je nu over mijn borsten komen. Maar dan moet je wel goed mikken. Ik wil geen druppels op mijn buik voelen, dat is ongepast. Straks schrikt Pleun wakker van de druppels die op zijn tentje landen. Over de borsten en nergens anders.'

'Dus de naam Pleun staat vast? Wat een goed nieuws.'

'Ja, dat hadden we toch al afgesproken? Maar hij krijgt wel een tweede naam van mij. Ridder of Roald.'

'Dat is geen moeilijke keuze, dan gaan we voor Pleun Roald Worthy natuurlijk. O jezus, ik ga komen. Waar mocht ik nou niet op ejaculeren?'

'De buik!'

Met knikkende knieën laat ik mijn orgasme over haar Apennijnen vloeien en nog voor ik op bed kan neerploffen heeft ze alles al schoongeveegd met het voorhoofdswashandje.

'James, volgens mij is het zover.'

'Ik ben tien seconden geleden al gekomen.'

'Nee, mijn buik, volgens mij wil onze kleine boef uit de isoleercel.'

Als een kip zonder kop ren ik de Czaar Peterstraat op en hou een taxi aan. Er zit al een klant in, maar die heeft pech.

'OLVG! Nu!' schreeuw ik paniekerig tegen de taxichauffeur.

Op het dashboard zie ik de Koran liggen en uit de Islamitische bijbel steekt een boekenlegger van de Bruna.

'Onze Lieve Vrouwe Gasthuis,' articuleer ik diverse malen luid en duidelijk.

Aafke zit naast me, ze draagt alleen een badjas. Ik draag een lange jas met daaronder cowboylaarzen.

'Het komt allemaal goed, schat. Blijven ademen, hier, knijp maar in mijn linkerhand.'

Met een verlamde hand sprint ik het OLVG binnen. 'Mijn vriendin is aan het bevallen. Mijn vriendin is aan het bevallen.' De verpleegster schiet gelijk te hulp, ze komt me bekend voor. Dansen bij Jansen? Ik heb haar een keertje gevingerd op de dansvloer. Het was toen nog maar net uit met Polly.

'Kiki, toch?' vraag ik.

'Ja. Ga jij vader worden? Jíj?'

'De beste ooit, Kiki, de beste ooit.'

Epiloog

Het dak van mijn basisschool ziet er anders uit dan in 1992, toen ik er, in de stromende regen, mijn eerste tongzoen kreeg. Op het schoolplein spelen kinderen, vanaf het dak gezien zijn het net mieren. Een jongetje met blonde krullen ziet mij staan en zwaait zowat zijn arm uit de kom.

'Papa! Papa! Kom je nog voetballen? We hebben één man te weinig voor vijf tegen vijf.'

'Ik kom eraan, Pleun, maar maak eerst eens je veters goed vast, straks val je.'

Aafke fietst het schoolplein op en wordt gefeliciteerd door de vriendjes van Pleun. Hij is vandaag zes geworden. Ze geeft de vriendjes zakjes snoep en een pakje chocomel.

'Aaf!' roep ik. Ze kijkt omhoog. 'Kom even een biertje doen op het dak en neem die kleine mee. Ik heb een verrassing voor hem.'

Pleun rent het dak op, buiten adem, Aafke volgt op tien seconden.

'Pap, wat voor verrassing heb je?'

'Die vriendjes van je pesten je soms, toch, omdat papa en mama niet getrouwd zijn? Nou, papa gaat daar nu verandering in brengen. Aafke.'

Ik overhandig haar mijn mobiele telefoon, ze brengt hem weifelend naar haar rechteroor.

'Spreek ik met Aafke Schmidt? De toneelspeelster? U spreekt

met Herman Brusselmans. De schrijver. Aan u de vraag, wilt u met de belangrijkste en meest gewaardeerde beffer van de Benelux uw bruiloft vieren?'

'Maar natuurlijk. Wat leuk dit. Jeetje, ik ben sprakeloos. Mag ik nu ophangen zodat ik mijn aanstaande kan zoenen?' Ze hangt op.

'Nou Pleun, papa en mama gaan trouwen. Ben je tevreden?'

Hij doet een dansje, een vreugdevol doch lichtelijk autistisch dansje, terwijl Aafke twee flesjes bier opent.

'En papa heeft nog een verrassing, wij gaan straks met de hele reutemeteut naar Artis met al je vriendjes.'

'Mag Rinus ook mee? Die ken ik pas sinds vandaag, maar hij kan echt supergoed keepen.'

'Natuurlijk mag Rinus mee. Papa en mama gaan ook mee en daarna gaan we pannenkoeken eten.'

Pleun lacht hysterisch, dit is de mooiste dag van zijn leven, althans tot morgen. Kleine, kleine Pleun. Van Apollon. De zoon van Zeus en Leto. De god van de verzoening, muziek en de stad. Honderden sproetjes zweven rondom zijn neus, het is net confetti, alsof zijn neus ook jarig is.

Dankwoord

Mammoettankers gevuld met liefde varen in de richting van alle mensen die hebben meegeholpen aan mijn droom: het uitbrengen van een boek vol platte seks en diepe pijnen. Dat jullie, ondanks mijn ziekelijke luiheid en puberale onzekerheden, in mij zijn blijven geloven, niets dan lof daarvoor. Ik word omringd door klasbakken en engelen.

Teuntje Krijger. De goddelijke vliegtuighangar waar ik op 24 juni 1980 uit vloog.

Jay Pugh. Beste vader ooit, 'PAK EEN EMMER!'

Bianca Pugh. Toch vreemd hoe verschillend broer en zus kunnen zijn. Zo close, maar zo anders, wij zijn als de ogen van David Bowie.

Lebowski. Van Oscar tot Leonard en van Marijke tot Willemijn. Bedankt. Jullie hebben een betere schrijver van me gemaakt. Nu nog een rijker mens.

Top Notch. Farid & Kees, ik ben jullie eeuwig dankbaar voor alle ideeën en het brandend houden van mijn innerlijke Tupac.

Vrienden en familie. Michael van Dam en de hele Chileense familie. Jules Beute. Mathias Servatius. Venz. Nalden. Alle spelers van DVVAI5. De *Nieuwe Revu*. Pepijn Lanen. Dries. Oma. Steven. Brian. Ome Jan. Jean-Christophe. Jules. Fien. Iedereen.

Amsterdam. Zonder jouw inspiratie was ik nu een gescheiden leesmapbezorger. Vergeet nooit, maar dan ook nooit, dat je de mooiste stad van de wereld bent.

Vrouwen. Aan alle exen en toekomstige exen, zonder jullie zou ik alleen maar over saaie dingen schrijven. Onderwerpen als politiek, oorlog en de inwoners van Abcoude. Jullie houden mijn leven spannend en de wachtkamer van de soa-kliniek gevuld.

De lezers. Lieve vrienden, er zullen nog veel boeken volgen. Ik hoop oprecht dat ik nooit ga vervelen.